LE KABBALISTE DE PRAGUE

DU MÊME AUTEUR

LE FOU ET LES ROIS
Prix Aujourd'hui 1976
(Albin Michel, 1976)
MAIS
avec Edgar Morin
(Oswald-Néo, 1979)
LA VIE INCERTAINE DE MARCO MAHLER
(Albin Michel, 1979)
LA MÉMOIRE D'ABRAHAM
Prix du Livre Inter 1984
(Robert Laffont, 1983)
JÉRUSALEM
photos Frédéric Brenner
(Denoël, 1986)
LES FILS D'ABRAHAM
(Robert Laffont, 1989)
JÉRUSALEM, LA POÉSIE DU PARADOXE,
photos Ralph Lombard
(L. & A., 1990)
UN HOMME, UN CRI
(Robert Laffont, 1991)
LA MÉMOIRE INQUIÈTE
(Robert Laffont, 1993)
LES FOUS DE LA PAIX
avec Éric Laurent
(Plon/Laffont, 1994)
LA FORCE DU BIEN
(Robert Laffont, 1995
Grand prix du livre de Toulon pour l'ensemble de l'œuvre (1995)
LE MESSIE
(Robert Laffont, 1996)
LES MYSTÈRES DE JÉRUSALEM
Prix Océanes 2000
(Robert Laffont, 1999)
LE JUDAÏSME RACONTÉ À MES FILLEULS
(Robert Laffont, 1999)
LE VENT DES KHAZARS
(Robert Laffont, 2001)
SARAH – La Bible au féminin *
(Robert Laffont, 2003)
TSIPPORA – La Bible au féminin **
(Robert Laffont, 2003)
LILAH – La Bible au féminin ***
(Robert Laffont, 2004)
BETHSABÉE OU L'ÉLOGE DE L'ADULTÈRE
(Pocket, inédit, 2005)

(voir suite en fin de volume)

MAREK HALTER

LE KABBALISTE DE PRAGUE

roman

ROBERT LAFFONT

© Éditions Robert Laffont, S.A., Paris, 2010
ISBN : 978-2-221-11353-0

« Ne demande jamais ton chemin à quelqu'un qui
le connaît car tu ne pourras pas t'égarer... »

RABBI NAHMAN DE BRASLAV

*À la mémoire de ce monde d'hier à jamais détruit
et dont je m'efforce, de livre en livre, de préserver la lumière.*

Prologue

Je m'appelle David Gans. Je suis né à Lippstadt, en Westphalie, en l'an 1541 du calendrier chrétien, soit l'an 5301 après la création du monde par le Tout-Puissant, béni soit-Il. Je suis mort à Prague, soixante-douze ans plus tard. Une pierre porte mon nom dans le vieux cimetière juif. Y est gravée une oie au-dessus des six branches du bouclier de David.

Deux petits signes, au creux de la pierre, qui disent ma vie. En ces temps reculés, ce bouclier, cette étoile à six branches, était l'emblème des Juifs de Prague avant de devenir celui de tout un peuple. Nul ne sait plus aujourd'hui que je fus le premier à le graver auprès de mon nom. Un oubli qui a ses raisons. Les six branches si parfaites, le triangle sur la pointe suspendu à son semblable posé sur la base, signifiaient pour moi plus encore que la mémoire de Salomon. C'était la passion et la jouissance de ma vie que j'avouais là, la pureté infinie de la géométrie, capable de tracer, au cœur de la science astronomique, le chemin de l'Éternel.

Et l'oie, tout autant, n'appartenait qu'à moi. Ni le plus gracieux ni le plus glorieux volatile de la création, il faut en convenir. Cependant nous portons un même nom : *gans*[1]. Longtemps cela m'a suffi pour comprendre que je

---

1. *Gans* : oie, en allemand comme en yiddish.

devais prendre mon envol dans le monde sans espérer, pour autant, y régner en aigle.

De fait, les aigles, je les ai côtoyés de près. Ils se sont appelés Galileo Galilei, Giordano Bruno, Johannes Kepler, Tycho Brahé, Isaac Louria, et le plus immense, la couronne des sages et le prodige de ma génération : rabbi Lœw Jehouda ben Bezalel, Haut Rabbi de Posen et de Prague, celui que nous nommons tous le *MaHaRaL*.

Pour moi, leur disciple passionné, la grandeur de leur esprit fut une permanente leçon d'humilité en même temps que le spectacle inouï de l'accomplissement de la création du Tout-Puissant. Car il n'est pas de beauté d'esprit qui s'accomplisse sans approcher la volonté de l'Éternel.

Que je le dise : parfois, le vol de ces maîtres était si beau, d'une intelligence si ardente, que je m'y suis aveuglé. L'illusion m'a pris de pouvoir m'élever parmi eux. Le temps m'a rappelé à ma proportion. J'ai appris ce que je leur dois et l'envergure de mes ailes. Je suis, pour ainsi dire, devenu un voyageur de leurs pensées. Un passeur de leur grandeur à laquelle ma vie tout entière fut et est encore dédiée.

Peut-être est-ce pour cela que les bonnes gens de Prague ont fait graver sur la pierre de mon passage et sous les deux symboles de mon existence ces mots ronflants :

« Ici est enterré
Héhasid Morenu Harav David Gans,
Baal Zemah David[1]. »

La formule est sonnante. Aujourd'hui encore elle n'est pas sans flatter ma fierté. La modestie est une rude école. Une vie d'homme ne suffit pas à l'apprendre et il n'est pas de jour que je ne m'y astreigne...

---

1. « Le juste rabbi David Gans, auteur du *Zemah David.* »

Ah! je sens, toi qui lis ces lignes, que ta patience et ta pensée s'inquiètent. Tu te demandes s'il est vivant ou mort, celui-là qui te parle dans ces pages. Ce Gans qui se prétend poussière parmi la poussière, oie dans la vaste basse-cour de l'Éternel, et qui tient les propos d'un vivant alors que depuis quatre cents longues années son corps est redevenu glaise parmi la glaise!

Pourtant oui, c'est ainsi. Mon corps n'est plus et ma parole est vivante.

Le Tout-Puissant nous a accordé le visible. Nous croyons y discerner l'unique vérité. Il nous a donné la matière. Nous lui conférons le pouvoir d'un début et d'une fin. Aveugles et présomptueux, voilà ce que nous sommes. Et c'est pour ne s'être pas satisfaits de cette illusion que mes maîtres, le MaHaRaL, Tycho Brahé, le grand Kepler et quelques autres ont atteint ce ciel de la Connaissance qui se refuse à l'ordinaire des humains.

Pour ce qui est de moi, David Gans, en vérité Dieu seul sait quand je disparaîtrai, car j'habite Sa maison, et Sa maison est celle du Verbe. Depuis le premier souffle de l'homme, il en va ainsi : la parole est le vivant de l'humain.

Bien sûr, femmes, hommes, enfants ou vieillards, nous sommes paroles de chair, mouvements de chair, vies et émotions de chair. Et le temps qui va dans ces chairs s'enfuit et les use dans sa dissipation. Il réduit la plus sublime des matières, la peau de soie et le teint de rose, à ce rien de poussière qu'un souffle d'enfant suffit à disperser.

Mais le Verbe, lui, est immortel. Il n'a succombé à aucune fureur, n'a été brisé par aucune masse. Aucun bûcher, même parmi les plus déments de siècles riches en massacres, ne l'a consumé. Il est venu avec l'esprit de l'humain, pas avec sa chair. Et jamais, jamais depuis le premier jour, il ne s'est tu.

Voilà : rien ne se crée hors du Verbe, tout succombe à sa présence. Ils sont faibles, ceux qui l'ignorent; ils sont grands, ceux qui savent s'incliner devant ce pouvoir Humains, simples humains, nous croyons que seule la chair engendre la chair. Aveuglement, ignorance! Le souffle, les battements d'un cœur gorgé de sang sont tout autant le fruit des mots que l'Éternel a placés dans nos bouches.

Ô, lecteurs, je le devine, beaucoup parmi vous arborent le sourire de l'incrédulité! Permettez qu'avant de me lancer dans la grande histoire qui nous rassemble je vous en conte une petite, ainsi qu'avant le fort de la fête on esquisse un pas de danse entre amis.

Le Talmud (Sanhédrin 65b) raconte que rav Hanina et rav Oshaya vivaient retirés dans l'étude. Ils étaient accoutumés à perdre, les veilles de shabbat, toute notion des réalités humaines en étudiant jusqu'à l'agonie les rouleaux du Sefer Yetsirah, le *Livre de la Création*. Bientôt, les veilles de shabbat ne suffirent plus à leur passion. Ils lui accordèrent les jours ordinaires. Puis les nuits ordinaires. Sans cesse ils lisaient, apprenaient, méditaient. Effaçant de leur conscience leur poids de chair et d'os, ils ne considéraient que la maigreur de leur apprentissage. Dès qu'ils dormaient ou s'accordaient un menu temps de divertissement, il leur fallait ensuite redoubler d'efforts. Ils ne se rendaient pas compte que la maigreur de leur corps était bien pire que celle de leur sagesse. La famine commença à les épuiser. La peau de leur visage et de leur cou n'était qu'un parchemin plus dur que les pages du Sefer Yetsirah. Leurs rides si creusées devenaient un sillon au cœur du désert. Encore un shabbat et le souffle leur serait retiré. Mais ni l'un ni l'autre n'avaient plus la force de partir en quête de nourriture.

Rav Hanina déclara :

— Le Tout-Puissant a dit : « J'ai placé Mes mots dans ta bouche. » Les paroles qui franchissent des lèvres pures engendrent la Vie. J'ai faim, il me faut l'admettre. Que risquons-nous à faire naître un veau avec nos mots, qui sont le Verbe de l'Éternel, sinon d'apprendre ce qu'il en est de la pureté de nos lèvres ?

Rav Oshaya répondit :

— Notre sottise et notre punition sont de ne pas y avoir songé plus tôt !

À eux deux, d'une même voix, ils prononcèrent les paroles nécessaires. Et voilà. Un veau de trois ans, au poil dru et à l'œil étonné, se dressa devant eux.

Rav Oshaya et rav Hanina, quoique l'espérant, en furent sidérés. Malgré leur grand état de faiblesse, ils se levèrent, s'approchèrent du veau, qui n'était pas farouche. Ils lui palpèrent l'encolure, les flancs, la croupe. Tout était bien réel et délicieusement comestible. Le grand savoir de la Kabbale allait les rassasier. Ils s'accordèrent le temps d'un festin.

Cette histoire, je l'ai lue il y a bien longtemps. J'en souriais comme vous en souriez, lecteurs.

Je n'y croyais qu'à demi. J'y songeais, non comme à une réalité possible de notre monde, mais comme à ce que les rhéteurs grecs ont appelé une *parabole*. Des mots au poids d'une image. Une apparence de mots ne contenant que l'ombre de leur pouvoir.

J'ignorais que la volonté de l'Éternel me ferait bientôt témoin d'un prodige plus stupéfiant, d'une preuve du pouvoir du Verbe d'une puissance si inouïe qu'aujourd'hui encore on en craint le mystère.

Un prodige qui a donné direction et sens à toute mon existence et qui en a fait ce qu'elle est aujourd'hui : l'éternité de la parole, qui est aussi notre mémoire et notre vie à venir.

Un être de mots, voilà ce qu'est désormais David Gans.

Certains peuvent s'enorgueillir de leur découverte, de leur création. Je n'ai pour fierté que l'étendue de ma

15

souvenance. Moi, je suis le témoin. Le passeur et le voyageur de la mémoire. Je porte la grandeur des autres et parfois fais en sorte qu'elle ne sombre pas dans le néant de votre indifférence...

Chaque jour me semble assez lourd pour être le dernier, mais l'aube suivante se lève comme s'ouvrent mes paupières et me signifie que ma mission n'est pas encore accomplie.

GOLEM !

Voilà le mot et le feu de mon existence !

Voilà le mystère qui a fait de moi ce *guilgoul*, cette métamorphose, ce Juif errant sans autre demeure que la parole, qui va et vient parmi vous, invisible dans vos foules et pourtant présent dans votre mémoire des siècles, quelles que soient vos croyances, vos craintes et vos sciences.

Voilà ce qui est arrivé ce jour de janvier 1600 dans la cour de la yeshiva de mon maître le MaHaRaL, la lumière d'Israël, que son nom soit béni. En ce jour, oui, la puissance de Dieu dans le pouvoir de l'homme s'est montrée.

Le MaHaRaL était parvenu au prodige des prodiges. Il avait dressé l'échelle qui lie la Terre au Ciel. Quel effroi, quelle terreur !

Quel inconcevable savoir !

Et, depuis, ils sont légion ceux qui voulurent le suivre pour seulement s'accaparer sa connaissance.

Légions de l'innocence comme de l'orgueil. Légions du Mal, surtout.

En vain, en vain ils se sont dévoués au mystère de Golem. Sans jamais de succès. Aucun, depuis rabbi Lœw, mon Maître, n'a su gravir à nouveau l'échelle, celle de Jacob, qui lie la Terre au Ciel.

Aucun n'a su entrer si loin dans les mots, dans les lettres et la sagesse de la Kabbale.

16

Ce n'est pas faute d'avoir tenté. Alors qu'il exterminait les Juifs, Hitler, que son nom soit maudit pour l'éternité, s'y essaya. Douloureuse ironie.

Au moins la crainte du prodige inspira-t-elle assez de respect pour que les troupes nazies ne brisent pas l'imposante statue du créateur du Golem dressée au chevet du ghetto de Prague. Pas plus que ne l'osèrent les Soviétiques un peu plus tard.

Mais il suffit. Vous en savez assez pour que je puisse vous raconter la vraie histoire de Golem, moi, David Gans, qui fus témoin de cette stupéfiante aventure.

LA PROMESSE

1.

Tout a commencé par une promesse. La promesse que se sont faite Isaac Cohen et Jacob Horowitz.

Je nous vois comme si c'était hier. Nous sortions de l'*alt shull*, la vieille et belle synagogue de Prague dont la légende racontait que les pierres de la *genizah* provenaient du Temple de Jérusalem. Peut-être était-ce le lendemain de Kippour ? Il faisait beau, quoique le vent d'automne, vif et acidulé, bien commun au mois de Tichri, soufflât sur la Vltava. Ce qui est certain, c'est l'année : 1574 de l'ère chrétienne. Ou, selon notre calendrier, l'année 5334 depuis la création du monde par le Tout-Puissant.

Je traversais le vestibule, un paquet de livres sous le bras comme à l'accoutumée, et m'apprêtais à monter les neuf marches menant à la rue, quand des voix m'interpellèrent.

— David !

Isaac et Jacob me faisaient signe de revenir en arrière, dans la pénombre de la petite pièce où l'on entreposait les chandelles.

— David ! Viens donc, il nous faut tes yeux, tes oreilles et ton cœur !

Le châle de prière qui couvrait leurs épaules donnait à leur démarche une solennité toute particulière. Mais le plaisir qui brillait dans leurs yeux m'assura qu'il ne s'agissait pas d'une affaire grave. Aussi leur répondis-je en plaisantant :

— Croyez-vous que le Pardon me soit déjà si bien accordé qu'on puisse me dépecer sans risque ?

Isaac approchait la trentaine. Petit, le visage aussi rond qu'une lune et sans grande grâce, il était de ces hommes qu'on ne remarque qu'à cause de leur regard. Le sien captivait l'attention par cette lueur amusée qui est le signe de l'intelligence autant que de la gourmandise de vivre. Sa parole possédait le charme d'un grand savoir qui n'amoindrissait jamais sa bonté. Malgré sa silhouette banale, il affichait cette prestance qui ne s'acquiert qu'au sein des familles rompues aux flux et aux reflux du monde.

Quatre ans plus tôt, il avait épousé l'aînée des filles du MaHaRaL, Léa. Une belle personne, douce, sage et fragile. Trop fragile, car les miasmes d'un mauvais automne l'emportèrent avant qu'elle puisse devenir mère. Aussi, au printemps dernier, selon la tradition mais avec un enthousiasme qui ne laissait pas douter de son affection, Isaac avait pris pour épouse la cadette du Maître, Vögele, « oiseau » en allemand. On l'appelait cependant Faïgelé, « petit oiseau » en yiddish. Encore que, moins gracile que sa sœur, elle était plus robuste et d'un esprit plus acéré. Vögele avait hérité du caractère et du corps rayonnant de vie de sa mère, Perl, l'épouse du MaHaRaL.

Ainsi que le dissemblable et les pôles opposés s'attirent et se complètent, Jacob Horowitz était l'exact contraire d'Isaac. Tant pour l'apparence que pour le caractère. Sec, sévère, orphelin depuis longtemps, n'ayant plus pour famille que l'étude et la yeshiva, Jacob arborait une barbe aux reflets roux qui le vieillissait d'une décennie. À le voir, et souvent à l'entendre, il était difficile de croire qu'il venait à peine de fêter ses vingt-sept ans. Il parlait chichement, d'une voix un peu nasale quoique bien assurée. La

22

vivacité de son esprit le faisait déjà estimer de tous, moi le premier, et beaucoup auraient pu prédire qu'il deviendrait maître du Sefer ha Zohar, le *Livre de la Splendeur*.

Depuis leurs premières années passées sur les bancs d'une yeshiva, Isaac le riche et Jacob le studieux se vouaient une amitié admirable. Tout ce qui les différenciait les rapprochait. Par leur seul exemple, on eût pu croire que Dieu voulait nous montrer la voie de la paix et de la bienveillance entre les hommes.

En signe ultime de cette profonde affection qui les nouait l'un à l'autre, au printemps dernier, alors qu'Isaac épousait Vögele, Jacob s'était résolu, après des années d'hésitation, à prendre pour femme Rebecca, la fille cadette d'un oncle d'Isaac, scellant leur amitié au lien sacré des familles.

Cependant, leurs souhaits pour l'avenir étaient plus ambitieux.

— David, il se passe une grande chose ! Nous voulons que tu en sois le témoin.

— Une grande et belle chose, si j'en crois vos sourires.

— Une grande, belle et merveilleuse chose, s'enflamma Isaac tandis que Jacob approuvait, la barbe vibrante.

— Béni soit l'Éternel ! Cela fait bien longtemps que je n'ai entendu de pareils propos !

Le fait était. Les années sombres succédaient à trop d'années ténébreuses. Vingt mois plus tôt une étoile à longue queue avait occupé le ciel toutes les nuits, sans interruption, jusqu'au dernier printemps. Dans son almanach, Bartholomaus Sculetus, disciple de Paracelse et astrologue de renom qui tenait ses études à Görlitz, avait prédit de grandes catastrophes pour les nations d'Europe et pour les Juifs.

Pour lui donner raison, les chrétiens du pape et ceux de la Réforme se massacrèrent tout l'été dans Paris. Des princes au peuple, tout le monde s'étripait. Le sang de cette folie engendra tant d'autres carnages qu'un livre entier ne suffirait pas à en tenir le compte.

Le souffle de ce chaos se répandit vivement à l'est du Rhin. Là, l'extermination des enfants d'Abraham ne connut aucun frein. Moravie, Bohême, Hongrie. Le feu, le fer, la haine. Tant et tant que ce qui resta des Juifs, ici ou là, n'eut la vie sauve que par la seule volonté de l'empereur Maximilien. Que l'Éternel lui en tienne compte pour l'éternité !

L'effet de cette paix inespérée gagnait Prague depuis peu. On y respirait à nouveau l'air de l'espoir. Avec prudence, comme on ressent le souffle d'une brise auprès d'un feu à demi éteint. Craignant à chaque instant que la fraîcheur qui passait sur nos lèvres n'attisât les braises.

Jacob avait deviné mes pensées.

— Allons, David. N'oublie pas qu'une nuit sans jour et un jour sans nuit n'entrent pas dans la maison de l'Éternel.

— Et voici que vient le jour, ami, renchérit Isaac avec enthousiasme. Vögele et Rebecca vont bientôt nous offrir des enfants.

— Oh ! Voilà la belle nouvelle !

— Dans douze ou vingt mois, précisa Jacob.

— Est-ce à dire qu'elles ne sont pas enceintes ?

— Pas encore.

— Ni l'une ni l'autre ?

— D'ici à vingt mois, elles le seront, répéta Jacob en me lançant ce regard qu'il avait quand on ne le comprenait pas assez vite.

— Bien. Et alors ?

— Alors l'une aura un garçon et l'autre une fille...

— Ou vice versa.

— Bien sûr ! Une fille et un garçon qui seront à leur tour mari et femme. Jacob et moi nous nous en faisons la promesse. Dans vingt ans, nos enfants lieront nos familles.

24

— Comme le téfiline est lié au bras.

— Et nos petits-enfants seront les fruits de cette promesse.

— Le fruit de notre sagesse d'aujourd'hui, David.

— Et toi, notre ami, tu pourras en témoigner. Si Dieu ne nous accompagne pas jusqu'au moment d'embrasser nos petits-enfants, tu pourras le dire : Jacob Horowitz et Isaac Cohen l'ont voulu.

— Et ils ont été assez sages pour que le Saint-béni-soit-Il le leur accorde.

Tout cela murmuré entre les deux compères avec une agitation extrême, une excitation de bonheur qui les faisait grimacer, portant Jacob dans une exubérance que je ne lui avais jamais connue. J'en restai sidéré. Mon visage ne dut pas montrer l'enthousiasme qu'ils attendaient.

Leurs sourcils se froncèrent en même temps.

— Qu'y a-t-il ?

— Vos enfants ne sont pas nés, mes amis.

— Et alors ? Tu ne nous crois pas capables de faire en sorte que Vögele et Rebecca les enfantent ?

— Bien sûr que si. Mais qui vous dit que l'Éternel vous accordera un fils et une fille et non pas deux filles ? Ou deux garçons ?

Leurs froncements de sourcils s'effacèrent d'un coup. L'un et l'autre rirent de bon cœur.

— David Gans, c'est cela, la promesse ! Nous nous faisons cette promesse, et Dieu, s'Il nous en juge dignes, nous l'accordera.

Le visage rond d'Isaac était beau à voir. La moquerie qui frémissait dans la barbe de Jacob me fit rougir. J'inclinai le front.

– Ah, mes amis, pardon de n'avoir pas compris. Me voilà déjà chargé comme un âne pour le prochain Kippour.

Aujourd'hui où je contemple le passé ainsi que l'oiseau découvre sous ses ailes l'ordonnancement des champs et des chemins, je vois les origines et les achèvements. Je sais l'enlacement des causes, ces décisions et ces choix qui creusent, plus étroit au cours de nos ans, le sillon de nos vies.

J'ai appris comment les plus grands bouleversements, magnifiques ou terribles, trouvaient leur source dans un incident insignifiant, ordinaire et vite oublié. Et la vérité, il me faut la dire : la plus profonde semence qui conduisit notre Maître, le MaHaRaL, vingt-cinq années plus tard, à affronter l'impossible et à tirer au grand jour l'inouï, fut plantée en cet instant.

Oh, il y aurait tout autant de vanité à affirmer aujourd'hui, après quatre longs siècles, que j'ai eu à ce moment conscience des tumultes et des prodiges à venir. Pourtant, tandis que je baissais la tête pour saluer la joie de mes amis, un souffle aigre effleura ma nuque. Un souffle que je connaissais. Cette haleine du doute et de la crainte qui nous frôle lorsque nous exigeons du Temps, ainsi que des enfants capricieux, un salut qui n'appartient qu'à la course de l'Univers.

N'était-ce pas folie d'engager la félicité d'un homme et d'une femme dont les cœurs ne battaient pas encore ? N'était-ce pas vanité de vouloir diriger l'ordre futur ?

N'était-ce pas oublier que la force et le pouvoir de faire grandir et s'épanouir ne revenaient qu'à Celui qui a dit : « Que la lumière soit ! », et la lumière fut ?

Cependant je cédai devant l'enchantement mutuel d'Isaac et de Jacob. Ma bouche s'accorda à leur plaisir. Je m'en donnais de bonnes raisons. Isaac était un homme sage et savant. Jacob plus sage et plus savant encore. L'un autant que l'autre étaient des hommes pieux, pas moins attentifs que moi au jugement de l'Éternel. Et leur promesse n'était-elle pas, aussi, celle de leur pureté? Une foi pure dans la bonté de l'Éternel et le soutien de Sa Providence? Je ne devais pas juger, seulement applaudir et admirer.

Sornettes et dissimulation!

Mon silence possédait des motifs moins nobles et moins modestes. Qu'Isaac et Jacob me choisissent pour témoin de leur bonheur me flattait.

Notre amitié ne connaissait pas un long passé. Leur confiance, celle d'Isaac surtout, m'était chère. Elle attisait mon espoir d'attirer sur moi la bienveillance ombrageuse de son beau-père, mon nouveau Maître, le MaHaRaL.

Je ne fréquentais la yeshiva de rabbi Lœw que depuis vingt mois. Je venais de Cracovie, où le Rema, l'éminent Juste rabbi Moïse Isserles, m'avait accueilli, douze ans plus tôt, avec la patience d'un père. Que sa mémoire soit bénie!

Douze années de studieuse félicité. Torah, Mishna, Guemara, lois de l'astronomie et mathématiques d'Euclide, chemins de la philosophie d'Aristote... Le Rema était un puits de savoir. Sous son aile, j'avais approché les secrets profonds du ciel obscur qui, plus que tout, éclairent notre foyer comme nos cœurs.

Mais douze années d'études n'étaient rien. Je le savais, et mon rabbi le savait aussi. Voir s'ouvrir les portes de la sagesse, c'est voir le seuil où la lumière cède devant l'ombre. Et savoir combien on est ignorant est déjà un grand savoir.

2.

Avant de monter vers Dieu, le Rema m'avait dit :

— David, tu me pleureras puis tu iras t'incliner devant rabbi Lœw dans sa yeshiva, à Posen.

— Posera-t-il seulement les yeux sur moi ?

— Il les posera. Comme il les pose sur toute chose et tout être de ce monde : en grondant. Rabbi Lœw, le lion bien nommé! Il secouera sa crinière pour t'impressionner, mais il posera les yeux sur toi. Tu verras. J'écrirai une lettre que tu lui donneras.

Dans les années passées, rabbi Lœw s'était opposé au Rema sur nombre de sujets. Il l'avait fait sans douceur. Le Rema lui avait toujours répondu avec délicatesse et souplesse d'esprit. Je lui rappelai cette opposition. Elle ne serait pas de bon augure pour me faire accepter dans la yeshiva de rabbi Lœw.

Le Rema me répondit :

— Rabbi Lœw s'est opposé à moi, mais pas moi à lui. Tu sais ce que je pense de ces disputes, elles sont bonnes et nécessaires. L'unité est le fruit de la contrariété. Rabbi Lœw te questionnera, te jaugera, et il saura qui tu es. Ne te trompe pas, David, tu auras devant toi la Couronne des Sages. Nul ne sait mieux se diriger dans les obscurités de la science des astres comme dans la richesse étincelante de nos traditions. Aucun n'approche le cœur du savoir autant que lui. Il peut comprendre et commenter ce que nul autre ne comprend : ses explications sont comme des oranges parfaites dans une corbeille d'argent. Ton chemin ne va pas ailleurs que dans ses pas.

Le Rema connaissait la puissance de ses mots. Son éloge de rabbi Lœw brûlait celui qui l'entendait.

Aussi les choses se passèrent-elles à peu près comme il l'avait prédit.

Il monta vers Dieu au printemps. Je le pleurai mais demeurai à Cracovie. Irrésolu. Hésitant non sur mon chemin mais sur mon courage à affronter le regard de rabbi Lœw. Puis la nouvelle me parvint que l'assemblée des sages de Bohême nommait MaHaRaL Haut Rabbi de Prague et de Posen. Et qu'à Prague on lui ouvrait une école. Un *klaus* où il pourrait transmettre l'énormité de son savoir et appliquer sa méthode bien particulière d'enseignement aux meilleurs d'entre nous.

Prague, le joyau de l'Europe, la Jérusalem des temps nouveaux !

Prague m'insuffla le courage qui me manquait. Après une longue année d'indécision, je me présentai à l'entrée de ce nouveau klaus. Je n'étais pas le premier. Nombreux furent ceux qui se considéraient dignes de l'enseignement du MaHaRaL.

Comme une volée d'étourneaux, ces têtes bien faites étaient déjà accourues, des quatre horizons de l'Europe, dans la ruelle qui séparait le klaus du cimetière. Une maison simple, blanche et basse, sans étage, abritant quatre salles d'étude et une pièce étroite où le Maître trouvait le calme pour ses propres réflexions, ses écrits et parfois ses entretiens.

Et moi, étais-je l'une de ces têtes bien faites ? Possédais-je la science, la sagesse requises ? Ah ! j'avais eu raison de

30

craindre ce moment. L'épreuve de ces jours ne s'est jamais effacée de ma mémoire.

Tôt le matin, je suis entré timidement dans le vestibule du klaus. Je me suis annoncé. J'ai dit d'où je venais et pourquoi. On me fit signe d'attendre.

L'attente dura jusqu'au soir sans que quiconque manifestât de l'intérêt pour ma présence. Je doutais même que ma demande fût parvenue au Maître. Le lendemain matin, je revins et m'installai près de l'entrée, équipé d'un peu de lecture pour endurer une nouvelle attente.

Sans doute fut-ce la première fois que je vis Isaac, car il m'a raconté plus tard, en riant fort, qu'il était passé plusieurs fois près de moi à la demande du Maître. La vérité est que je n'en ai aucun souvenir. Cependant je me rappelle que le soir, à l'heure de la prière, nul ne m'avait adressé la parole plus que la veille et que je n'avais pas même aperçu la silhouette du Maître. Y compris à la synagogue.

Plus tard, j'appris que le MaHaRaL se rendait rarement à la grande synagogue. Il préférait une pièce de la modeste maison qui jouxtait la yeshiva, un *shtibl* qu'il pouvait joindre sans passer par la rue et où l'on avait installé la *bimah*, le candélabre et le *heikhal*.

Après la prière du soir, je passai une nuit sans sommeil, rongé de doute et aussi d'un peu de colère. Je craignais que le Rema, si facilement emporté par sa propre bonté, n'ait préjugé de celle du MaHaRaL. Néanmoins, le lendemain, dans la première lueur de l'aube, après *chaharit*, la prière du matin, je retrouvai ma place inutile à l'entrée du klaus.

Je m'épuisai à nouveau dans une lecture que ma tête confuse ne parvenait pas à suivre. Probablement me suis-je endormi. Et soudain, au milieu de la journée, quelqu'un s'est placé devant moi pour m'annoncer que le Maître voulait me voir. En un rien de temps, alors que je ne

31

croyais qu'à demi ce que j'entendais, on me poussa dans une pièce tiède qui sentait l'encre de noix, le suif et la poussière. Celui que le Rema avait appelé la Couronne des Sages était là, me tournant le dos.

Il était assis sur un gros siège de bois et de cuir. Devant lui, un monceau de livres et de rouleaux, de boîtes de plumes et de sabliers recouvrait une table poussée sous la lucarne. Presque malgré moi, au premier coup d'œil, j'y repérai des cartes d'astres et des morceaux d'ardoise blanchis de calculs géométriques.

Après un moment, rabbi Lœw se leva pour me faire face. Je fus étonné par sa haute taille : il me dépassait d'une tête. La sienne était sidérante. Cheveux et barbe en si grande abondance qu'on distinguait à peine la chair de son visage. Pourtant, on ne pouvait échapper à son regard. Un feu gris et doré. Très clair, très immobile. Au premier coup d'œil qu'il portait sur vous, son esprit paraissait vous démembrer, devinant vos rouages, testant vos mollesses et rigidités, s'immisçant jusque dans ces intimes obscurités que nous nous dissimulons dans l'espoir de les oublier pour toujours.

Les mots du Rema retentirent dans ma tête : « Rabbi Lœw, Rabbi lion ! »

Son vêtement était simple : un immense caftan de lin brun, brodé au cordon de soie noire sur les manches. Nous étions au début de l'été et cela lui suffisait. Plus tard, quand le froid venait, il se recouvrait d'une ou deux tuniques identiques et ne sortait qu'enveloppé d'un manteau de velours, lourd et souple à la fois, se déployant et reployant dans une telle profusion de plis à chacun de ses mouvements qu'on pouvait croire que c'était là la pulsation de son souffle.

Nous étions enfin face à face.

Quand il acheva de jauger mon apparence, je lui tendis la lettre du Rema. Elle disparut aussitôt, pas même

32

ouverte, dans la manche de son caftan. Il énonça pourtant mon nom comme s'il ouvrait un chapitre :

— David Gans de Cracovie.

Sa voix fut une nouvelle surprise. Basse, bien nette, plus chaleureuse que je m'y attendais et possédant la vivacité d'une jeunesse qui n'était plus visible.

Subjugué, possédé par ma terreur, je répondis le plus sottement possible.

— David Gans, oui, Maître.

— De la yeshiva du rabbin Moïse Isserles, n'est-ce pas? Que sa mémoire demeure.

— Auprès de lui durant douze années et jusqu'à ce qu'il monte vers l'Éternel, béni soit Son nom, oui, Maître.

— Douze ans! Aïe, aïe, aïe! En douze ans, on peut étudier beaucoup et en savoir peu.

Cette fois je sus enfin me taire.

— Rabbi Moïse était un homme bon, reprit-il en plissant ses lourdes paupières. La bonté n'est pas toujours la meilleure voie vers la sagesse. Mon enseignement n'est pas celui d'un homme bon.

Je sus encore me taire.

— Le Rema a écrit de nombreux ouvrages, le *Torat haOlam* et le *Mahalakh haKokhavim*. Toujours plein de bonté. Ton Maître aimait concilier les inconciliables. Moi aussi, j'aime ça. Quoique certains disent que si le Rema avait la passion de la concordance, j'ai celle de la discordance. Prendre chez les uns et chez les autres est aussi un savoir.

Je persévérais dans la prudence du silence. Cela lui tira une grimace.

— Et la Tradition? Que pensait-il de la Tradition, rabbi Moïse?

— Que rien ne s'apprend en dehors d'elle, mais que le Tout-Puissant ne cesse de nous donner des leçons pour la mieux comprendre. Le Rema disait : « Tous les savoirs embellissent la maison de Dieu, les petits et les grands, mais l'échelle qui monte vers le Saint-béni-soit-Il est faite de l'infinité de barreaux que notre ignorance n'a pas encore su gravir. »

— C'est bien. On m'a dit qu'il vous laissait lire Aristote au jour du shabbat ?

La question était posée en fronçant les sourcils, mais le ton et le regard n'étaient pas de condamnation. Je dis :

— Rabbi Salomon Louria le lui a reproché. Le Rema a répondu : « Quel mal y a-t-il à étudier la philosophie des Grecs les jours de fête et de shabbat, alors que d'autres vont se promener ? »

— On peut ! On peut... À condition d'étudier en hébreu. Car si le langage est une forêt où chacun peut se promener librement, chaque arbre porte ses propres fruits.

— Toujours en hébreu, Maître, répondis-je. Mais le Rema disait que si la philosophie est le questionnement de l'Univers, ce questionnement commence, lui, dans la Torah avec l'interpellation de l'Éternel par Abraham. Dieu, disait encore le Rema, a besoin de l'homme, comme l'affirme le *Midrash*, de même que, en bonne logique aristotélicienne, l'hypothèse a besoin de la thèse.

— Aïe, aïe, aïe ! Il disait cela ? Intéressant ! A-t-il au moins précisé que c'est la grande bibliothèque de Salomon qu'Alexandre a offerte à Aristote, et que dans cette bibliothèque Aristote a puisé sa pensée ?

— Oui, Maître. Et il comparait la méthode du raisonnement de la Kabbale à celle de la philosophie...

Cette fois, le silence ne vint pas de moi. Le MaHaRaL se tenait tout raide. Les yeux invisibles sous ses paupières baissées. Ses lèvres dessinaient une moue incrédule sous sa barbe. Quelques secondes extraordinaires. Plus tard, je compris que telle était l'expression de sa plus grande fureur.

Je crus d'abord qu'il s'était endormi. Puis je perçus un grondement. Les mots du MaHaRaL me transpercèrent autant qu'une fourche.

— Charabia! Malheur aux oreilles qui entendent pareilles sottises!

Et sans reprendre son souffle, dans un discours qui mélangeait les plus immenses éloges aux critiques les plus terribles, le qualifiant à la fois de « Souverain de l'esprit » et de « Monsieur de Cracovie », le MaHaRaL réduisit en charpie les commentaires, déchira en menus lambeaux la belle logique et la vivacité des arguments que mon ancien Maître avait développés dans son livre, *Thorat haOlam*, imprimé ici même, à Prague, deux ans avant sa mort.

Que pouvais-je faire, sinon affronter l'orage d'un front muet? Je n'étais pas de taille à soutenir cette dispute ni à défendre la pensée du Rema. De me voir condamné à une telle impuissance me fit honte. Si bien que, quand le MaHaRaL reprit son souffle, je m'inclinai en marchant à reculons vers la porte.

— Où vas-tu?

Je m'immobilisai. Le MaHaRaL sortit la lettre du Rema de sa manche. Il la déplia et se rassit dans son grand siège pour la lire. Cela ne prit pas longtemps. Il ne me regardait pas. Il agita seulement la main gauche et me fit signe d'approcher.

— Rabbi Moïse m'écrit que tu es avancé dans les études de mathématiques et d'astronomie. C'est bien. Il me flatte, aussi. Ta place est ici, à condition que tu te plies à ma méthode, qui est de prendre chaque chose par son début avec l'humilité des ignorants.

Ce fut ainsi que le MaHaRaL m'accueillit sous son aile. Sans un mot de plus.

Ce fut ainsi, aussi, que pour la première fois je posais sur mes cheveux ce bonnet de feutre dur qui signalait mon

35

appartenance aux Juifs de Prague. C'était une sorte de toque à pointe, au haut bord rigide et qui recouvrait la kippa. Depuis vingt ans, par décision de l'Empereur, il était obligatoire de la porter dès que nous étions en Bohême. Mais je dois dire que cette distinction, en ce temps, nous l'arborions, naïvement peut-être, avec une belle fierté.

Et bien sûr, dès les mois suivants, je mis une grande ardeur à prouver ma valeur au MaHaRaL. Mais, avec le temps, ce fut moins ma science que mon admiration pour le saint rabbi qui grandit.

La justesse de ses paroles, la pureté de son intelligence m'emportaient comme un chant. Je compris enfin la beauté de l'image qu'avait utilisée le Rema. Oui, dans les disputes, les pensées du MaHaRaL brillaient comme des oranges parfaites dans une corbeille d'argent.

Il n'empêche. Je ne renonçais en rien à l'enseignement de mon premier Maître. Au contraire, j'appliquais son précepte : « Deux écoles opposées sont toutes deux la Parole du Dieu vivant. »

L'œil et l'oreille du MaHaRaL étaient trop sensibles pour ne pas s'en rendre compte. Ma fidélité au « Monsieur de Cracovie » fut pour lui une déception. Mes efforts pour gagner sa confiance se heurtaient au mur abrupt de son intransigeance. Le temps passant, je m'attendais à l'entendre gronder à mon approche autant qu'à soutenir les coups de fourche de ses regards.

Voilà pourquoi, en ce lendemain de Kippour, mon cœur s'emplit de reconnaissance lorsque Isaac Cohen et Jacob Horowitz me confièrent leur secret.

Rien n'advint comme chacun le souhaitait.

Bien qu'une amitié sincère et une estime de plus en plus solide m'attachassent à son gendre Isaac, l'humeur du saint

36

rabbi ne varia pas à mon endroit, rugueuse et défiante toujours.

Sans compter que ce ne fut pas quinze ou vingt mois qui furent nécessaires à Vögele et à Rebecca pour voir leur ventre enfler d'une nouvelle vie, mais trente pour l'une et trente-quatre pour l'autre.

ÉVA

1

Inutile que je conte l'émotion d'Isaac et de Jacob lorsque leurs épouses se déclarèrent enfin enceintes. Torrents de larmes, rires et prières, comme on l'imagine.

Je me souviens d'Isaac m'approchant un matin dans le klaus de notre Maître. Les lèvres tremblantes, la face cramoisie, les yeux tressautant comme si plus rien au monde n'eût été stable, il agrippa ma manche.

— David !

Son allure tourmentée me fit présager le pire.

— Qu'y a-t-il, Isaac ?

— Nous avons un nouvel empereur. Son nom est Rodolphe II.

— Ah ?

Je l'observai avec surprise. Était-ce cela qui défaisait ses traits ? La nouvelle n'en était plus une. Le nom de Rodolphe m'était devenu familier depuis quelques jours. Isaac l'avait entendu à la même source que moi : le klaus du MaHaRaL. À Prague comme dans toutes les villes de l'Empire, à Worms, Lübeck, et même à Cracovie, en Pologne, depuis un bon mois on murmurait le nom de Rodolphe, on craignait et on supputait derrière les murs des synagogues.

L'empereur Maximilien II de Habsbourg n'était plus. Celui-là même, que son nom soit béni, qui avait su préserver du massacre quelques fils d'Abraham une poignée d'années plus tôt. La peur se saisit de la ville juive. Chacun le savait d'expérience : bonheur, malheur, haine ou clémence envers les Juifs dépendraient du bon ou du mauvais vouloir du futur empereur.

L'Europe vivait alors sous la poigne du Saint-Empire romain germanique. Celui-ci s'étendait de la Baltique à l'Adriatique, de la mer du Nord à la Méditerranée. D'est en ouest, il ne connaissait que deux frontières : la russe et la française. Mais son ventre s'embrasait de feux que seul Maximilien avait su maintenir sous la cendre. Les braises rougeoyantes s'appelaient Réforme, luthériens, calvinistes, catholiques. Brandons de haine, de guerres, de tueries qui n'avaient qu'un lien en commun : la haine des Juifs.

Aussi, bien que je connusse la nouvelle et ce qu'il fallait en penser, je laissai Isaac me répéter ce que tout le monde chuchotait, à savoir que Rodolphe semblait plus clément envers les fils de Sion qu'envers les luthériens de la Réforme. Une espérance plus qu'une certitude. Il restait encore que le temps en fasse une vérité.

Isaac me parla encore de Rodolphe, que l'on disait très curieux homme, d'esprit comme de corps. Sans beaucoup de l'élégance naturelle de son père ni peut-être de son discernement, mais avec une passion pour les sciences et les femmes. La bonne chère autant que l'astronomie. Savant à sa manière.

— On prétend qu'il aime beaucoup la Bohême. Qu'il veut venir vivre à Prague, conclut Isaac en me serrant nerveusement le poignet.

Voilà au moins quelque chose que j'ignorais. Je pus montrer un étonnement sincère en refermant ma main sur celle d'Isaac.

— Qui sait, peut-être est-ce une bonne nouvelle ? Mais est-ce cela qui te met en si grande émotion ?

42

— Ah, David !

— Oui ?

— Voilà. Cela s'accomplit...

C'était une manière si contournée d'annoncer les choses, l'émotion d'Isaac paraissait si grave, qu'en vérité je ne compris pas sur l'instant.

Mais après son chuchotement il se jeta dans mes bras. Il y pleura un bon moment, libérant sa joie autant que l'inquiétude qu'il avait tue durant tant de mois. « *Mazel-tov ! Mazel-tov !* » m'exclamai-je. Et bientôt tout le klaus défila contre sa barbe pour le féliciter. Le MaHaRaL apparut sur le seuil, nous vit tous dansant et riant en tournant le dos aux tables recouvertes de livres. Dès qu'il en apprit la raison, sa colère se dissipa dans un bon sourire.

La scène fut à peine différente lorsque Jacob put à son tour proclamer l'état de son épouse. Quoique ce fût l'unique fois où quiconque le vit danser.

Ainsi donc, au printemps, Vögele fut la première à enfanter. Le bébé était une fille.

Une fille aux grands yeux. Elle cria très fort durant les premiers jours. Ce que les femmes s'accordèrent à considérer comme le signe d'une belle santé et la promesse d'un futur plein d'énergie.

Au troisième jour après la naissance de l'enfant, après qu'on lui eut assuré qu'elle était saine et bien vigoureuse, pour le plus grand bonheur d'Isaac, le MaHaRaL vint saluer sa petite-fille. Considérant l'étonnante face qui l'approchait, l'enfant, pour une fois, se tut de longues minutes. Tout noirs, à peine formés, quasi aveugles à ce qu'on raconte, ses yeux écarquillés fixaient cette face à nulle autre pareille.

Que voyait-elle dans ce flot de barbe qui s'inclinait vers elle, ces centaines de sillons sculptés par l'âge et la sagesse ? Que voit la vie qui naît du monde qui l'accueille ?

Celle-ci, cette nouveau-née là, vit quelque chose. Ou le sentit.

Peut-être est-ce la faiblesse qui nous vient au souvenir de tout ce qui commence, mais voici une vérité : ce silence, je l'entends encore. Je vois la longue et fine main du MaHaRaL se tendre vers la couche du bébé. La large manche de son caftan recouvrait en entier le berceau. Il ne toucha pas l'enfant, il ne la frôla pas. Les yeux tout neufs quittèrent le visage pour considérer ces doigts pâles, à peine frémissants. Et, dans le silence qui les unissait, la nouveau-née brandit son poing minuscule.

À petits coups, mais avec une énergie qui valait celle d'une longue embrassade, elle cogna contre la paume du MaHaRaL. J'ai toujours pensé que ce grand amour, cette grande connivence, qui allaient les lier jusqu'à leur dernier souffle et qui furent, à leur manière, la raison de tout, étaient nés en cet instant-là.

Le nom de l'enfant donna lieu à quelques tractations dans les jours qui suivirent.

Vögele désirait que sa fille fût nommée Éva. Isaac ne montra aucun enthousiasme. La discussion s'échauffa. Isaac gronda que la Torah contenait une suffisante abondance de prénoms féminins, les Rachel, Sarah, Tsippora, Bethsabée, Myriam... sans que Vögele veuille choisir celui de la pécheresse. Celle-là même qui était la cause, comme le dit le Siracide (Ecq, 25,24), que « la mort était entrée en tous les hommes ».

Vögele avait du caractère. Elle ne se laissa pas rebuter par les reproches et les supplications de son époux. Elle était la fille du MaHaRaL. Elle savait depuis longtemps comment se manœuvre une volonté quand on veut la voir vaincre. Au lendemain d'une dispute qui risquait de pro-

44

longer trop longtemps l'indécision d'Isaac, elle se confia à sa mère, Perl.

L'épouse du MaHaRaL était une femme petite, d'une discrétion exemplaire, et que beaucoup auraient pu négliger. Mais le Maître connaissait mieux que tous et son énergie et sa détermination : Dieu seul pouvait la faire céder. Et elle n'avait pas partagé son existence depuis des décennies sans avoir acquis à son côté un peu de son habileté.

Perl choisit le jour paisible du shabbat pour transmettre le choix de sa fille au MaHaRaL. Notre Maître ferma les yeux et murmura le prénom en hébreu : « *Hawwa, Hawwa...* »

Les syllabes lui plurent. Cependant, comme son épouse s'y attendait, la grimace lui vint sous la barbe. Ainsi qu'Isaac, bien qu'avec calme et un peu mécaniquement, il rappela les mots du Siracide.

À quoi son épouse, sur le ton d'un constat bénin, rétorqua :

— Hawwa était la première des femmes. Et comme première, elle était à l'origine de toutes choses qui lient les femmes aux hommes. Le bon et le mauvais. Ta petite-fille est ta petite-fille. Elle est le fruit de l'Éternel, béni soit Son nom, ce qui ne veut pas dire qu'elle vienne du paradis. Elle est seulement sortie du ventre de sa mère. Son Jardin de la Connaissance, ce sera toi, son grand-père, le MaHaRaL de Prague. Et si tu es celui que je crois que tu es, cette petite Éva sera bien plutôt le canal du Salut que le souvenir du péché.

La réplique enchanta notre Maître. Il nous la confia le lendemain et bien souvent par la suite. Je peux témoigner, moi, David Gans, qu'il s'en souvint toujours et son épouse aussi. On le verra.

Ainsi, sans plus disputer la décision de Vögele, Isaac nomma sa fille Éva.

Jacob fut le seul qui ne se rendit pas à ce choix. Il en conçut un doute qu'il entretint pendant de longues années, avec une absolue discrétion, puisque notre Maître l'avait approuvé.

Afin de ne pas répéter l'erreur d'Isaac, il imposa le nom de son fils à Rebecca, son épouse, alors qu'elle était à quelques semaines de la délivrance. Il nous l'annonça avec soulagement :

— *Yechaya!* Voilà le nom du fils de Jacob Horowitz. *Yechaya.*

Ce que je vous traduirai par Isaïe.

Jacob nous rappela qu'Isaïe n'était pas seulement le prophète des prophètes, le plus pur et le plus solide devant l'appel de Yahvé. Il portait également le nom du salut et de l'issue au chaos humain, puisqu'il signifiait : « Yah(vé) est délivrance. »

— Avec ce prénom qu'Isaac a donné à sa fille, ou plutôt qu'il a laissé donner par la fille du MaHaRaL, quel autre choix aurait pu mieux convenir à mon fils, son futur époux ?

Bien qu'il s'évertuât à le dissimuler, la période était rude pour Jacob. Il se couchait comme il se levait : priant le Tout-Puissant.

Il n'avait choisi qu'un prénom, et c'était un prénom de garçon. Il ne pouvait en aller autrement. Il ne serait pas celui par qui le Tout-Puissant montrerait Sa colère en brisant la promesse. Tout allait s'accomplir comme cela se devait.

Néanmoins, il ne laissait guère passer d'heure sans s'inquiéter de Rebecca. Peu habituée à tant de sollicitude de sa part, son épouse eut la sagesse de n'y voir qu'un don éphémère de l'Éternel. En même temps qu'elle goûtait les caresses maladroites de Jacob, elle l'apaisait dans un sourire :

46

— Cela va venir comme cela doit venir, Jacob. Dieu y veille et Il est plus habile en ces choses que tu ne l'es.

Elle voyait juste. Cela vint. Dans la canicule d'un premier jour d'été elle enfanta un garçon. Ce fut la seconde et la dernière fois que l'on vit Jacob danser.

Plus petit qu'Éva sa promise, Isaïe posséda dès sa première heure un je-ne-sais-quoi de la sécheresse de son père. Mais, au grand soulagement de tous, il se montra à son tour bien vif et bien bruyant.

S'ensuivirent quelques jours d'exaltation pour nos amis. Liesse et prières. Pour la première fois, me prenant à témoin, me faisant raconter cent fois le moment et les mots, ils révélèrent leur promesse à tous ceux qui voulaient l'entendre.

J'eus la surprise de découvrir que notre Maître, le MaHaRaL, par une ultime prudence de son gendre et de Jacob, n'en avait pas été informé. Ce qui, je l'avoue, me flatta un peu, car enfin il me considéra d'un autre œil quand je dus, cette fois pour son seul bénéfice, reprendre mon conte.

Il leva un sourcil et ce doute, cette désapprobation que je n'avais pas eu le courage de manifester le jour fameux de cette promesse, il les devina dans l'instant. Il eut ce regard qui n'appartenait qu'à lui et peut-être le faisait ressembler plus que jamais au lion de son patronyme. Il baissa un peu les paupières afin que l'éclat de ses pupilles fût moins violent et qu'on ne sût d'où allait surgir le coup de griffes.

— Ah oui, dit-il en se tournant vers Jacob et Isaac. Ah oui, vous vous êtes fait cette promesse ?

Jacob se rembrunit devant le ton du Maître.

— Une promesse qui ne répondait à d'autre souhait que celui de nous soumettre au jugement du Très-Haut.

— Aïe, aïe, aïe, une belle promesse ! Mais il n'est pas encore arrivé, le temps de son accomplissement. Ce que vous demandez à Dieu n'est pas d'avoir un garçon et une fille, mais d'en faire des époux. La route du temps est encore longue qui vous mènera à ce jour.

Cela dit sur un ton amical, la voix d'une hauteur ordinaire. Pourtant la joie gela sur le visage de mes amis.

Se tournant vers moi, pour la première fois m'adressant un signe amical, un infime mouvement de l'index, le MaHaRaL ajouta :

— Consultez David. Après moi, il est ici celui qui connaît le mieux les étoiles. Il vous le dira : nul destin n'est d'avance tracé, ici-bas comme dans la course des astres. Et ce qu'on lit dans l'éclat des étoiles contient plus d'énigmes que de certitudes. La sagesse, Jacob, n'est pas d'imaginer l'œuvre de demain déjà accomplie. Elle serait bien grande déjà si elle nous permettait de comprendre ce qui nous a conduits à aujourd'hui.

Et notre Maître me gratifia encore d'un petit signe de connivence avant de se détourner, laissant Jacob et Isaac dans la consternation. Il me suffit d'y songer pour que l'émotion me saisisse. Pour la première fois, le MaHaRaL me signifiait son estime.

Ainsi est notre orgueil. J'entendais le bruit des mots qui me flattaient et fermais les oreilles au sens de ces mots. Il me fallut vingt ans pour me rendre compte que, éclairé par cette sagesse dont il venait de parler, notre Maître rabbi Lœw pressentait dès ce jour le rude accomplissement auquel cette promesse pouvait nous confronter.

2.

Les six ou sept années qui suivirent furent parmi les plus paisibles que nous connûmes depuis longtemps à Prague et en Bohême.

Après la naissance de leurs enfants, Isaac et Jacob reprirent leur vie ordinaire. La mise en garde du MaHaRaL les ayant invités à la discrétion, nul n'entendit plus parler de leur promesse d'alliance. Une prudence loin de l'oubli.

Chaque année, au lendemain de Kippour, pour ainsi dire fraîchement remis au monde par la clémence divine, nous nous retrouvions dans le vestibule de la vieille synagogue. Nous nous disposions à l'emplacement même où Jacob et Isaac m'avaient annoncé leur beau projet. Nous ne prononcions pas un mot. Nous croisions nos mains, fermions nos paupières. Nos pensées se chauffaient à nos paumes enlacées et chacun marmonnait une prière dans sa barbe.

Je ne sus jamais quelles furent celles de mes amis. La mienne me venait naturellement sans que j'en fasse l'effort :

> *Pour lui*
> *Leur sang est précieux.*
> *Puissante la vie,*
> *Offrande des ors de Saba.*

49

Le blé mûrira si haut sur la terre
Qu'il tremblera au sommet des montagnes.

Aujourd'hui encore, ces mots (Psaumes, 72.14,16) ne peuvent me revenir sans me rapporter le silence et le parfum de la vieille synagogue, ce goût mélancolique d'humidité, de bois et de laine, de cire et de poussière. Il semblait que les prières qui s'étaient murmurées entre ces murs, les terreurs et les joies qui les avaient accompagnées s'étaient muées en une matière palpable, une ferveur que nous respirions à pleins poumons, afin qu'un jour, comme promis, Éva et Isaïe accèdent au grand bonheur de leurs épousailles.

Pour le reste du temps, comme les autres, j'oubliais tout cela une fois Kippour passé. Et sans doute plus que les autres, tant mon excitation à approcher les profondes beautés des savoirs dans l'ombre du MaHaRaL était grande.

Année après année, la yeshiva de notre Maître devenait plus célèbre. Notre Maître y disputait le *Midrash*, en interprétait les lumières sourdes et la puissance lointaine avec une vigueur sans cesse renouvelée. Il y disputait aussi la place de la science près de la Torah et disait bien haut que « jamais l'une et l'autre ne viendraient à s'affronter puisque leurs chemins ne conduisaient pas aux mêmes royaumes ».

Ce fut en ce temps-là que parut le premier de ses livres, le *Guevourot Hachem – Les Haut Faits de l'Éternel*. Un ouvrage tout à son image d'intransigeance et de courage, et qui attira sur lui l'admiration des meilleurs esprits de notre peuple.

Nombreux alors furent ceux qui vinrent l'écouter dans notre modeste klaus depuis les quatre coins de l'Europe. Ils repartaient de Prague le cœur en fête et la tête plus riche, courant d'autres villes et d'autres yeshivas, où ils diffusaient les paroles de notre Maître. Et moi, accompagné désormais par sa bienveillance qui paraissait vouloir oublier mon premier apprentissage auprès du Rema, je puisais dans la science des astres et les mathématiques le plus vigoureux des moteurs de la sagesse, qui est de poser mille questions dès que l'on est parvenu à répondre à une seule.

C'était autour de nous un spectacle magnifique. L'empereur Rodolphe s'était pris d'une juste passion pour Prague. Dès les premières heures de son règne, il avait décidé d'y transporter sa cour, ses richesses et ses caprices. L'effet s'en fit sentir bien vite. Il n'était plus de saison sans que la ville s'embellisse d'un nouveau bâtiment, d'un jardin, d'une voie, d'une porte ou d'un pont.

De même dans notre cité juive, quoique encerclée de murs qui couraient depuis la rive de la Vltava ainsi qu'une boucle à l'intérieur de la ville chrétienne, on embellissait, on reconstruisait. Sans jamais contrevenir aux règles qui limitaient strictement la surface de la ville, on élevait vers le haut ce qui ne pouvait prendre ses aises au sol. Ce fut ainsi que notre bourgmestre, Mordechaï Maisel, trouva l'audace de proposer l'édification d'une nouvelle et splendide synagogue tout près du klaus de notre Maître. Édification qu'il mènerait sur ses propres deniers et à la gloire de Maximilien Empereur, père de Rodolphe, dont la clémence avait sauvé tant de Juifs des massacres.

Toute cette exubérance était le fruit de la richesse des terres de Bohême, aussi fertiles que gracieuses. Les pâturages et les vergers s'étendaient à perte de vue. Le vin coulait en abondance et le moût était amassé en si grande quantité qu'on le vendait aux pays voisins. Partout s'élevaient des greniers à blé. L'importance des petites et grandes rivières tenait du miracle, sans compter les mines de fer, d'étain, d'airain, d'argent, jusqu'à l'or qui, par endroits, affleurait au sol.

Et partout on voyait du monde pour vivre de ces richesses. Partout des villages et des châteaux, des palais. Partout de délicates et audacieuses architectures rivalisaient de somptuosité, avec, au centre de cette bénédiction divine, ainsi qu'un joyau serti dans une orfèvrerie savante, la munificence de Prague, notre capitale.

Une Prague riche des promesses de la Bohême mais aussi de l'histoire de ses murs. Une manière de Jérusalem, née en l'an 2455 de la création du monde, avant même la Troie des Grecs. Et, selon la tradition avérée de nos anciens textes, une Prague qui avait accueilli le peuple juif après la destruction du Second Temple dont on disait, comme je l'ai déjà rappelé, que des pierres arrachées par les Perses assuraient désormais les fondations de notre vieille synagogue.

Ah, comme j'ai aimé cette Prague! Comme elle est restée chère et présente dans l'errance interminable de ma vie!

Et dans cette Prague-là, dans les murs de la ville juive et parfois au-delà, la figure du MaHaRaL impressionnait. Il n'était pas un Juif qui ne la reconnaissait de loin. D'un bout à l'autre de l'année, dans la glace autant que sous la canicule, jamais il ne quittait la yeshiva ou la synagogue sans placer une toque de martre par-dessus sa kippa. Dans les rues étroites, sa silhouette n'en paraissait que plus immense. À voir les mèches de sa chevelure se soulever au rythme de ses pas, comme diffusant autour de lui le feu ardent de sa sagesse, plus que jamais on croyait voir avancer un lion de la Connaissance.

Cependant, comme le dit le Talmud, l'unanimité est suspecte. Le MaHaRaL y échappait. Sa rudesse et son intransigeance ne lui ouvraient pas tous les cœurs ni tous les esprits. Nombreux, en Bohême mais surtout au-delà, regardaient avec suspicion l'enseignement du *Livre de la Splendeur*, le Zohar. Et le mot de Kabbale faisait frémir. La phrase maîtresse de ceux-là était courte : « Il ne faut pas chercher ce qui est caché. »

À Prague, ils n'étaient pas nombreux à donner de la voix. Le plus bruyant, le plus connu et qui offrait volontiers le spectacle de son opposition, s'appelait Zalman, fils de Samuel. Un petit homme trapu, costaud, toujours en mouvement, le regard de charbon, le visage disparu sous une barbe de broussaille d'où n'émergeaient que des lèvres très rouges. La toque des Juifs de Prague le grandissait. Il colportait des recueils de prières. Devant les éventaires de fruits et de légumes, il étalait ses rouleaux à même le sol et soudain éructait sans mesure. Ses menaces et ses anathèmes finissaient toujours par effrayer l'un ou l'autre. Tout de même, la plupart d'entre nous le considéraient comme un fou et le contournaient avec gêne.

De plus mauvaises histoires couraient sur son compte. Quelques-uns le soupçonnaient d'avoir la langue trop pendue avec les espions de la police et parfois même d'aller raconter des folies à des chrétiens qui s'en repaissaient.

Mais nous n'aimons pas, nous autres Juifs, voir de mauvaises figures entre nous. Moi, je fis comme les autres, je détournais la tête quand ce Zalman approchait. Pas un instant je n'imaginai qu'un jour il jouerait un rôle, à son corps défendant, dans la grandeur du MaHaRaL !

C'est ainsi, dans cette vie calme, savante et mesurée, que grandirent les enfants d'Isaac et de Jacob.

Après trois ou quatre années, il fut acquis que l'un comme l'autre étaient de constitution solide. Ni Vögele ni Rebecca ne craignaient plus ces infections terribles qui emportaient tant d'enfants dans leurs toutes jeunes années. Ceux-ci, outre une belle vigueur, montrèrent des prédispositions dignes de leurs familles, dans l'intelligence autant que dans l'héritage des caractères.

Dès sa cinquième ou sixième année, Isaïe étudia avec une assiduité qui enflammait le cœur de Jacob. Il m'arrivait de les surprendre en si sérieuse conversation que j'aurais pu douter de la jeunesse du fils si je ne l'avais connue En outre, Isaïe se révéla d'un caractère facile et soumis. Jamais de ces colères ou de ces caprices qui sont l'ordinaire des jeunes garçons. D'une grande douceur avec sa mère, il vénérait son père. À l'inverse, pas plus qu'on n'entendait son rire dans la maison de Jacob, je ne me rappelle l'avoir vu emporté par ces jeux qui savent depuis la nuit des temps enflammer l'imagination des enfants.

Si Isaïe ne s'abandonnait pas aux fureurs de l'imagination, Jacob le faisait pour lui. Ce fils prodigue en qualités comblait sa fierté de père. Il ne mettait pas de borne à son destin. Et la sage perfection d'Isaïe était si réelle qu'il n'y eut personne pour lui gâcher ce mouvement d'orgueil.

Dès ces années, la petite Éva s'avéra composée d'un tout autre bois.

Isaac et Vögele ne furent pas longs à se rendre compte que l'obéissance n'était pas sa première qualité. En vérité, leur fille paraissait bien trop vive, trop pleine d'énergie pour que le moindre conseil de tempérance puisse l'atteindre.

Puisque fille, la responsabilité de son éducation revenait en très grande partie à Vögele. Nul ne pouvait accuser sa mère de mollesse. Il n'empêche, Éva allait selon le cours de sa seule volonté. Isaac grondait et tempêtait. Plus souvent qu'il l'aurait aimé, il punissait. La petite Éva le toisait alors en silence. Son regard de mer tournait à la nuit. Son jeune corps tout entier durci comme un reproche, elle subissait et attendait sa libération. Après quoi, tout recommençait comme avant et elle s'empressait de prouver à son père l'inutilité de ses châtiments.

Éva venait d'entrer dans sa sixième année quand Vögele décida de s'en remettre à son père, le MaHaRaL. Notre Maître parut d'abord peu enclin à accepter la charge de ce souci. Son épouse, Perl, lui rappela les paroles qu'elle avait prononcées à la naissance de l'enfant : « Son Jardin de la Connaissance, ce sera toi, son grand-père, le MaHaRaL de Prague. Si tu es celui que je crois que tu es, cette petite Éva sera bien plutôt le canal du Salut que le souvenir du péché. »

Le MaHaRaL laissa passer quelques semaines, occupé qu'il était dans sa réfutation des propos d'un sage d'Italie, le *Meor Enayim* d'Azarya dei Rossi. Sa colère à la lecture de l'ouvrage d'Azarya m'avait surpris autant que peiné et inquiété : j'étais celui qui lui avait mis entre les mains ce livre que j'admirais assez et où il est dit : « Si tu veux offrir un holocauste à Dieu, alors offre-le à la Vérité. »

Le MaHaRaL s'y opposa avec son habituelle vigueur. Dans l'échange qu'il entretenait chaque semaine avec nous, ses élèves et disciples, il nous conta une histoire qui figure dans le dernier chapitre du traité Sanhédrin 97a du Talmud :

— « Rava raconte : J'étais persuadé que la vérité n'est pas de ce monde jusqu'au jour où l'un des maîtres – il s'appelait rav Tavot – me dit que pour tout l'or du monde il ne proférerait le moindre mensonge. Un jour, il se rendit dans une ville dont le nom était Vérité. Personne n'y mourait jamais. Il y prit femme et eut deux enfants. Un matin, sa femme était en train de se coiffer lorsqu'une voisine frappa à la porte. Il estima qu'il était indécent d'ouvrir et répondit que sa femme n'y était pas. Là-dessus, ses deux enfants moururent. Les habitants de la ville vinrent le trouver et lui demandèrent : Que se passe-t-il ? Il leur narra l'histoire. Ils lui dirent alors : S'il te plaît, quitte cette ville et n'amène pas la mort parmi nos gens. »

Dans le sein fervent de son klaus, notre Maître expliqua que, selon lui, l'une des limites de la vérité est la décence. Violer la décence, c'est bafouer l'une des implications fondamentales de la nature éthique de l'homme. Pourtant, il reconnut qu'il s'était approché du livre d'Azarya « littéralement dans la joie du fiancé qui approche sa fiancée! ».

À ce point de sa péroraison, son regard d'aigle chercha le mien parmi tous ceux qui buvaient ses paroles, et aujourd'hui encore ses mots résonnent dans les limbes où bouillonne à jamais la mémoire des grandes disputes de la pensée :

— Je vous le dis avec mon âme déchirée : malheur aux yeux qui voient pareille chose, malheur aux oreilles qui l'entendent...

Et plusieurs jours durant, tandis qu'il rédigeait sa condamnation du *Meor Enayim,* on ne le vit plus. Les charbons ardents de ma culpabilité me taraudèrent matin et soir tandis que je ne cessais de me demander si le MaHaRaL m'accorderait encore sa confiance.

Pourtant les choses tournèrent tout autrement que je ne l'aurais jamais imaginé, et peut-être bien par la grâce de sa petite-fille Éva.

Le souci de la réfutation d'Azarya apaisé, notre Maître profita d'une de ces lentes et paisibles soirées du début de l'été, où le crépuscule semble estomper la brutalité du temps, pour réclamer la présence de la fillette à son côté.

Quoique la demande fût tout à fait exceptionnelle et qu'elle se doutât certainement que son grand-père ne la réclamait pas pour l'admirer, Éva se présenta devant lui à sa manière habituelle : le regard droit, impertinent, ne laissant rien paraître de ses craintes, si elle en éprouvait.

Le MaHaRaL usa de sa manière favorite pour dompter les caractères. Promenant son regard sur un livre dont il

56

tournait à peine les pages, il laissa Éva patienter debout près de lui. Le moment dura. Il ne semblait pas même s'apercevoir de la présence de sa petite-fille. Finalement, d'une voix où l'appréhension masquait mal la fureur, Éva remarqua :

— Tu m'as fait appeler, Grand-père. Je suis là. Tu ne l'as pas oublié ?

Le MaHaRaL baissa à demi les paupières pour masquer son plaisir. Je suis certain qu'un sourire joua sous sa barbe. Il considéra Éva.

— Non, je ne t'ai pas oubliée. Mais tu n'as pas à être impatiente. Tu as tout le temps de la vie devant toi. Ici, il n'y a que moi qui puisse compter le temps, puisque je suis vieux.

Après quoi il se leva, coiffa sa toque de martre et saisit la main d'Éva.

Leurs doigts se renouaient pour la première fois depuis que le MaHaRaL avait tendu la paume au-dessus du berceau d'Éva. Elle glissa sa main gracile dans celle, si longue et si autoritaire, de son grand-père, sérieuse, certainement plus impressionnée qu'elle ne souhaitait le montrer.

Nul n'osa les suivre alors qu'ils s'éloignaient vers la rive de la Vltava. Tant qu'ils furent visibles, chacun grava dans son esprit ce couple étrange, si magnifique dans sa disproportion. Un sage immense et mince, au pas long et régulier. Une fillette fine et nerveuse. L'un à l'autre liés par l'enlacement de leurs mains, comme si le sang qui les unissait circulait librement entre leurs paumes. L'image même du flambeau inaltérable de la vie.

Ils ne réapparurent qu'à la nuit tombée. Craignant le verdict de son beau-père, Isaac tournait en rond comme un animal blessé depuis de longues heures. Quand les servantes annoncèrent leur retour, il se précipita devant la maison. Son angoisse céda à la stupeur.

Sur les murs de la ruelle venant droit du fleuve, les torches semaient des halos jaunes et vacillants, entrecoupés d'ombres épaisses. Éva et notre Maître approchaient en se tenant toujours pas la main. Comme un seul être ils franchissaient une à une les couronnes de lumière. Éva sautillait plus qu'elle ne marchait. L'air chaud vibrait de sa voix aiguë accompagnée d'un rire doux et discret. Un rire que bien peu avaient jusque-là entendu : celui du MaHaRaL.

Parvenu dans l'antichambre de la maison, il ôta sa toque, s'inclina assez bas pour qu'Éva trouve à travers sa barbe le chemin d'un baiser.

Répondant enfin au regard d'Isaac, il se contenta d'un mouvement de tête que son gendre ne sut interpréter. Le lendemain, Vögele apprit par sa mère le bonheur de notre Maître. Peu avant son sommeil, il avait déclaré que sa petite-fille n'était rien d'autre qu'un présent magnifique que lui destinait l'Éternel.

— Elle n'est pas ma fille, pourtant il semble que Dieu a placé dans son cœur une réplique de ce qu'il a voulu dans le mien.

— Un héritage qui ne doit pas être facile à porter et qui ne paraît pas la conduire aisément vers la sagesse, avait rétorqué son épouse avec moins d'enthousiasme.

— Parce que vous ne savez pas trouver la lumière où elle abonde, avait soupiré le MaHaRaL, les yeux déjà clos. Dans cette enfant, la sagesse est une semence qui fermente comme un chou dans un pot trop scellé. Ouvrez le couvercle. Instruisez-la comme vous le feriez d'un fils. Elle n'a qu'une colère, la plus saine : celle ne pas savoir comment approcher les richesses de la vie.

Une recommandation dont je pus mesurer la justesse quelques semaines plus tard. Isaac m'aborda avec circonspection.

58

— Le MaHaRaL veut que tu enseignes les mathématiques à ma fille...

Il eut un geste hésitant et ajouta :

— Ça et tout ce que tu pourras. Si tu le veux.

Mon cœur bondit en entendant ces mots. Ainsi le
Maître ne me tenait pas rigueur du *Meor Enayim* d'Azarya!
Sa colère se bornait à pourfendre l'Italien et pas son messager. Je fis néanmoins de mon mieux pour répondre paisiblement à mon ami :

— Bien. Je m'en chargerai avec plaisir.

— Vraiment? Cela te paraît possible?

— Et pourquoi non?

— C'est une fille, David.

— Notre Maître ne l'ignore pas.

Isaac secoua la tête en soupirant.

— Parfois, je me demande s'il ne se laisse pas abuser. Si,
pour une fois, il n'a pas la faiblesse d'être seulement un
grand-père. Les mathématiques, l'astronomie... Ma fille?

Isaac n'avait pas besoin de m'ouvrir les recoins de son
cœur. Je soupçonnais l'étendue de ses doutes. Était-ce la
bonne voie pour Éva? Serait-elle digne, le jour venu,
d'Isaïe?

En décidant de lui donner une éducation de garçon, le
MaHaRaL s'était-il seulement souvenu de l'alliance promise à sa petite-fille? De son rôle prochain d'épouse?

Jacob n'aimait rien tant que les traditions. Il avait
maintes fois montré sa passion immodérée de l'ordre.
Pour lui, les qualités d'une épouse s'éprouvaient avec
d'autres mesures que l'étendue de son savoir et de sa
science. Et il était tout aussi certain que son fils, Isaïe, le
jour venu des fiançailles, penserait à l'identique du père.

J'apaisai l'inquiétude d'Isaac autant que je le pus :

— Fais confiance au MaHaRaL. Qui mieux que lui sait
voir venir un destin? Fais confiance au temps. Il est loin
encore le moment où tu conduiras ta fille sous la *houppa.*

59

Dès le lendemain, un jour de pluie, je me trouvai devant Éva. Vögele nous ouvrit une petite pièce de la maison, chichement meublée et aux murs nus. Après une ultime et inquiète recommandation de sagesse à sa fille, elle nous laissa seuls. Pour la première fois, j'examinai vraiment Éva.

Ce n'était pas une enfant d'une grande beauté. Sa silhouette gracile, déliée, portait un visage maigre et un peu long. Sa peau était claire jusqu'à la transparence. Il était bien difficile de deviner la grâce de la femme future dans cette face revêche. Pourtant, son énergie irradiait, aussi impossible à ignorer que ses yeux de mer qui vous jaugeaient avec la froideur d'un rude commerçant.

Je tentai de prendre exemple sur le MaHaRaL et n'ouvris pas la bouche durant un temps qui me parut très long. Nous nous toisâmes autant que des étrangers. Ou des combattants. Éva finit par hausser les épaules.

— Grand-père rabbi dit que tu peux m'apprendre beaucoup. Il faut que ce soit vrai. Autrement, tu perdras ton temps et moi beaucoup d'occasions d'obéir, ce qui déplaira à mon père et à grand-père rabbi.

Elle esquissa une grimace et ajouta dans un léger soupir :

— Et comme c'est toi qui sais ce que je ne sais pas, c'est à toi de parler.

Douze mois durant, elle ne perdit pas son goût d'apprendre, ni moi mon bonheur de lui faire ce plaisir. Ce qui devint par la suite notre indestructible amitié commença dans cette courte année.

Je lui ouvris doucement le chemin des mathématiques et découvris la joie et le réconfort d'offrir à une intelligence gourmande la nourriture dont elle saura se repaître. Nous travaillions deux fois par semaine. Sans impatience.

60

Comme si ce temps heureux où tout redevient neuf, où le savoir semble un pays à jamais accueillant, ne devait jamais cesser.

Une illusion qui se brisa un matin du mois d'Adar de cette terrible année 1584, l'an 5344 après la création du monde par l'Éternel, béni soit-Il.

Une touffeur pesait sur Prague, comme cela arrive rarement à cette époque de l'année. Je rejoignis le klaus dès les premières lueurs du jour afin de profiter d'un peu de fraîcheur. Les salles de la yeshiva devenaient vite irrespirables dans l'après-midi. La vapeur des encres et la poussière des livres soulevée par la canicule se mêlaient dans nos bouches comme une pâte indigeste.

Les beaux jours de Pourim s'achevaient. Dans les synagogues comme dans les maisons, on se rappelait le temps de l'exil en Perse. Les rabbis et les pères racontaient comment le vieux juif Mordechaï, oncle d'Esther, femme bien-aimée d'Assuérus, roi de Perse, avait refusé de se prosterner devant Amân, son favori. Amân avait calomnié Mordechaï auprès du roi. Usant de mensonges et de fausses preuves, il obtint sa condamnation.

Ce fut alors qu'Esther fit savoir qu'elle jeûnerait avec le secours du Très-Haut jusqu'à ce qu'Assuérus reconnaisse la perfidie et la fureur jalouse d'Amân à l'égard de Mordechaï et du peuple juif tout entier, ou jusqu'à ce que la mort l'emporte. Le roi, terrifié à la perspective de sa perte, sut enfin ouvrir les yeux. Amân fut pendu et chacun comprit qu'Esther sauva son peuple d'une mort certaine.

Et c'est ainsi que depuis, au mois d'Adar, Pourim, la « fête des sorts », enchante les enfants déguisés en Assuérus, Esther ou Mordechaï. Le sourire au lèvres, on les voit mener rondement le drame dans les rues, s'épuisant dans des sarabandes vengeresses en scandant le nom honni d'Amân et en châtiant son souvenir à grands coups de bâton.

Aussi, ce jour-là, regardais-je, amusé, les enfants qui jaillissaient dans la rue en brandissant encore leurs masques quand, devant le cimetière, tout à côté du klaus, j'aperçus un attroupement. Des épaules serrées, des nuques inclinées, un marmonnement continu. Un signe reconnaissable entre tous. C'était ainsi, toujours, que se propageaient les mauvaises nouvelles.

Je n'eus pas à poser de question. Deux jours plus tôt, dans la ville chrétienne, on avait compté une grosse centaine de morts entre le lever et le coucher du soleil. La veille, le chiffre avait doublé. Les prêtres chrétiens avaient fermé les églises durant la nuit, terrifiés à la vue des cadavres qu'on leur demandait de bénir.

De l'autre côté de nos murs, la terreur emportait Prague la splendide. Il s'agissait d'une maladie qui ne craignait ni les milices, ni les battues, ni les embuscades, ni même les prières ou les exorcismes. On pouvait bien se barricader, remplir les fossés, remonter les ponts-levis, lâcher les herses, tirer les volets et boucher les fenêtres, rien n'y faisait. La rumeur courait déjà. On assurait que la maladie avait commencé depuis des semaines et qu'on l'avait cachée. Un mal où la fièvre brûlait et assoiffait les malades avant de leur faire rendre l'âme en trois ou quatre jours. Les cadavres présentaient des plaies purulentes à l'aine ou à l'aisselle, des bubons éclatés et des chairs comme déchirées par des crochets de serpent. Avant d'exhaler leur dernier soupir, les mourants se vidaient de leurs entrailles dans un déluge de puanteur et réclamaient à boire autant que s'ils traversaient le désert du Sinaï. La plupart déliraient. Certains, tant qu'ils en avaient encore la force, dans l'espoir d'expectorer le feu qui calcinait leurs poumons, s'ouvraient la poitrine avec des dagues...

62

Un mal que chacun connaissait. Un mal terrible et invisible qui infestait l'air d'une promesse de dévastation. La peste.

Un mot qui surgissait de l'abîme et menait à l'abîme.

Pour nous, les Juifs, la menace était double. La peste ne se souciait point de l'appartenance de ceux qu'elle allait frapper, mais les chrétiens, nous le savions par expérience, allaient nous accuser d'en être responsables. « Malheur à nous ! », répétait-on dans la ville juive.

Depuis longtemps, par la grâce du Talmud et des livres anciens de la médecine arabe, nous avions appris que le meilleur traitement contre l'épidémie, quoique bien faible, tenait dans quelques règles : l'isolement des malades, de leurs familles et de ceux qui les soignaient ; la fumigation des maisons infectées par un mélange d'absinthe, genièvre, marjolaine, clous de girofle, camphre et romarin ; la désinfection des objets, monnaies et courriers ; enfin, l'incinération rapide des morts. La création d'hôpitaux hors les murs des villes eût été plus efficace encore, mais cela nous était interdit.

Ainsi, dès ces heures de l'aube, le bourgmestre Mordechaï Maisel et mon Maître MaHaRaL firent connaître les décisions auxquelles chacun devait se conformer. Les synagogues et les lieux de commerce furent fermés, le klaus, les petites yeshivas comme le reste. Chacun reçut l'ordre de rentrer chez soi en ayant fait provision de nourriture et d'eau. Une fosse serait ouverte à l'entrée du cimetière et un brasier entretenu pour y déposer les cadavres. Des volontaires, célibataires en nombre réduit, munis de tenues adéquates et de masques comportant une éponge trempée dans un fluide de vinaigre, d'absinthe et de camphre, se chargeraient des tâches réclamant un contact avec les malades, qu'ils fussent morts ou vifs. Ces braves personnes n'approcheraient plus quiconque de sain avant la fin de l'épreuve.

Toutes décisions qui prouvèrent aussitôt leur efficacité, alors que la peste infectait l'air de Prague embrasé par la canicule, que les corps putréfiés des chrétiens s'accumulaient sur les rives de la Vltava sans que quiconque ait le courage d'allumer un bûcher. Les hauts murs du château, déserté par Rodolphe dès les premières heures du mal, se refermèrent sur un fantastique tombeau. Les portes de Prague furent closes sur la maladie, et les Praguois abandonnés aux crocs de la peste.

Toutefois, comme nous montrions une sage observance des règles édictées par le bourgmestre, elle parut se montrer moins féroce dans la ville juive. Une relative clémence qui ne tarda pas à parvenir aux oreilles affolées de nos voisins.

Et ce que nous craignions tous ne tarda pas à advenir.

Je logeais depuis quatre ans au second étage d'une maison appartenant à un petit homme affable, Joseph, couturier et habile artisan du cuir, ayant une femme douce et trois enfants qui n'allaient pas tarder à faire le bonheur de son commerce. Au onzième jour de la peste, il frappa à ma porte en pleine nuit :

— Rabbi David ! Rabbi David !

J'ouvris en tendant ma chandelle. Les yeux écarquillés de Joseph brillaient de peur dans l'obscurité.

— Rabbi David ! Les Gentils hurlent sous les murs de notre ville. Il faut venir. Ils s'apprêtent à défoncer nos portes. Ils veulent incendier nos maisons !

— Et pourquoi ? demandai-je en me doutant de la raison.

— Les prêtres racontent que nous sommes la cause du mal. Ils disent que nous avons payé les lépreux qui ont approché la ville il y a trois semaines pour qu'ils empoisonnent de leurs chairs malades l'eau des puits. Ils nous accusent d'avoir fait pourrir des rats venus de chez les

Ottomans! Ils prétendent que nous avons passé un pacte avec le Diable. La preuve : nous comptons moins de morts qu'eux!

Le pauvre Joseph était au bord des larmes. Nous savions pourtant ce qui arriverait. Et nous savions aussi que nous ne parviendrions jamais à rétablir la vérité.

Il en allait ainsi de ville en ville, de bourgade en bourgade. Le bon sens ne nous préserverait plus de rien. Depuis bientôt mille six cents ans, aux yeux des chrétiens nous étions les fils de Judas, le peuple qui avait trahi le Christ, et ils ne voulaient plus voir en nous que la cause de leur souffrance.

Leur haine nous menaçait plus que la peste elle-même. Et une fois de plus, peut-être la vingtième, la cinquantième ou la centième fois de sa vie, Joseph craignait que cette démence incontrôlable emporte ses bien-aimés et notre peuple tout entier.

— Rabbi David, venez! Venez vite... Il faut protéger les portes, il faut empêcher ces fous d'entrer chez nous et de massacrer nos femmes et nos enfants!

Il me tendit un objet bizarre. Un masque étrange qu'il avait mis au point. Une astucieuse composition de cuir et de tissu qui recouvrait la figure. Adhérant au nez et à la bouche, elle les dissimulait sous une large protubérance traversée de fines incises où l'air vicié pouvait pénétrer, mais où les miasmes se trouvaient piégés par d'épaisses éponges gorgées d'essences purifiantes.

Joseph m'aida à le fixer. S'il n'empêchait pas de bien voir, le masque nécessitait un peu d'accoutumance pour la respiration et l'absorption des vapeurs du vinaigre camphré. Néanmoins nous nous précipitâmes hors de la maison.

Au coin de la rue des Juifs et de la rue Maisel, nous croisâmes deux hommes qui frappaient aux portes en demandant : « Y a-t-il ici des morts? » Ils nous regardèrent par la fente de leur cagoule mais ne nous parlèrent pas.

Soudain, j'entendis les hurlements qui retentissaient vers la porte de Maximilien. Le ciel sans lune rougeoyait de centaines de torches. Mais alors que j'allais me précipiter derrière Joseph, un disciple du MaHaRaL, lui aussi une capuche rabattue sur les yeux, sans autre protection qu'un tissu enduit de benjoin sur la bouche, arriva en courant. Mon masque l'empêcha de me reconnaître. Il se mit à hurler sous les fenêtres de la maison de Joseph :

— David! David Gans!

Il sursauta d'effroi quand je lui pris le bras.

— C'est moi, criai-je à mon tour sous mon masque, ce qui n'était guère aisé. C'est moi, David Gans!

Me considérant d'un air égaré, il hésita avant de s'en convaincre.

— Que veux-tu? le pressai-je. Dis vite! Les Gentils forcent les portes de la ville juive!

— Le Maître te réclame.

— Maintenant?

— Oui, oui, maintenant! Le MaHaRaL sait, pour les portes. Il veut te voir d'urgence!

Il rebroussa chemin, les mains plaquées sur son visage. Alarmé, me demandant quelle était la raison assez grave pour que notre Maître veuille absolument me voir en un pareil instant, je me ruai derrière lui.

À peine eut-on refermé derrière nous la porte de sa maison, à peine m'étais-je défait, tout suant et essoufflé, de mon masque, que le MaHaRaL se dressa devant moi. Son œil aigu me scruta. Je savais ce qu'il cherchait. Je me plaçai plus nettement sous la lumière des chandelles brandies par les servantes.

— Je vais bien, Maître, je suis sain. Pas de frissons ni de fièvre. Si vous me voyez tout suant, c'est parce qu'il m'a

66

fallu courir sous ce cuir alors que la nuit reste aussi chaude que le jour.

Je lui montrai le masque inventé par Joseph. Il me fit signe de prendre en main l'un des chandeliers, renvoya les servantes et m'attira sous l'escalier qui montait aux chambres. Son regard était autant de pierre que de feu. Ses paupières et ses sourcils l'atténuaient à peine, un éclat si puissant qu'en toute autre circonstance je n'aurais pas eu le courage de le soutenir.

— David, je veux te confier mon bien le plus précieux.

— Mon Maître?

— La haine campera peut-être hors de nos murs cette nuit, mais elle s'attaquera à nous de nouveau dès demain, et puis après-demain, et tant que la peste ravagera les chrétiens. Ils n'imaginent qu'un moyen d'apaiser leur souffrance : nous exterminer. Et si par la volonté du Tout-Puissant nous parvenons à leur résister, alors c'est la maladie qui nous vaincra. Nous non plus, nous n'allons pas pouvoir nous en protéger longtemps. Je veux que tu conduises Éva loin de Prague.

Il se tut, me scrutant à nouveau pour mesurer ma crainte et ma fidélité. Je fis de mon mieux pour qu'il s'assure de l'une et de l'autre.

— On prétend que la peste voyage vers l'ouest et épargne les nations de l'Est, reprit-il. As-tu encore des amis à Cracovie?

J'en avais. Et tous fidèles à mon ancien maître le Rema, rabbi Moïse Isserles. Celui dont le MaHaRaL, dans sa yeshiva autant que dans ses écrits, n'avait eu de cesse, toutes ces dernières années, d'abaisser l'ouvrage. Il sut que j'y pensais. Il me le prouva d'un battement de paupières.

— Je saurai conduire votre petite-fille à Cracovie saine et sauve, répondis-je fermement.

— Il faudra sortir de la ville.

— Par le fleuve. Cette nuit. Quand la fureur autour de nos murs sera retombée, les chrétiens seront épuisés. Il sera possible de laisser filer une barque juste avant l'aube sans attirer leur attention.

Un soupir franchit la barbe du MaHaRaL. Il posa sa fine main sur mon épaule sans un murmure. Son regard n'était plus le même.

— Embrassez votre petite-fille, lui dis-je. Je reviendrai la prendre une heure avant le jour.

Il me retint alors que j'allais remettre mon masque.

— Là-bas, tu poursuivras son éducation. Tu ne dois pas laisser son intelligence sans nourriture.

Je le lui promis et passai le reste de la nuit à trouver une barque, à préparer un maigre baluchon et à écrire quelques lettres. Je craignais à chaque instant d'entendre les hurlements annonçant que les portes de notre ville venaient d'être défoncées.

Mais l'Éternel, bénie soit Sa bonté, décida de nous accorder une chance.

Tout se déroula comme je l'avais prévu. Les nôtres tinrent bon. Les Gentils s'épuisèrent un peu avant le jour, se contentant de balancer leurs torches par-dessus le mur tant qu'un peu de force sustentait encore leur rage. Puis chacun se retira dans sa tanière pour lutter contre la peste, elle qui n'attendait que la chaleur du jour pour frapper à nouveau.

Je pus retrouver Joseph. À l'intention d'Éva, il m'accorda l'un des masques prévus pour ses fils, m'assurant que ce serait peu de travail d'en fabriquer un autre.

La fille d'Isaac était déjà revêtue d'une cape bien trop chaude pour la nuit étouffante lorsque je rejoignis leur maison. Sans mot dire elle me laissa lui ajuster le masque, affrontant sans une plainte les effluves purifiants qui faisaient pleurer les yeux et tourner la tête. Elle alla encore

68

une fois, dans ce bizarre accoutrement, se serrer contre le ventre de sa mère. Isaac, les joues ruisselantes de larmes, me répéta ses recommandations avec la même ferveur qu'il mettait chaque jour dans la lecture de la Mishna.

Le MaHaRaL était demeuré en haut, dans sa chambre, signifiant par là qu'il ne nous faisait aucun adieu car il attendait notre retour. Son épouse Perl me confia une bourse et des lettres qui nous ouvriraient des portes dans bien des villes. Je saisis enfin la main d'Éva comme son grand-père l'avait fait et nous nous précipitâmes dans les ruelles désertes ainsi que deux fantômes sans visage.

Malgré mon angoisse, ou peut-être à cause d'elle, notre fuite me parut étrangement aisée.

Il n'y avait pas âme qui vive sur la berge de notre côté. Chez les chrétiens une cloche sonnait un glas très lent. La nuit demeurait encore trop obscure pour qu'on puisse nous repérer depuis l'autre rive du fleuve. Éva m'aida à faire glisser la barque sur la pente boueuse qui s'enfonçait dans l'eau. De ma voix déformée par le casque je lui demandai de se coucher au fond et de n'en plus bouger. Dès que nous fûmes au cœur du fleuve, je retirai les avirons. Le plus grand silence nous enveloppa. Je rejoignis l'enfant sur les planches humides. De ma voix de cuir, je lui expliquai que nous allions nous laisser emporter par le courant aussi loin que possible de Prague. J'étais en nage, je respirais avec effort, bien certain qu'il devait en aller de même pour elle. Mais son orgueil ne l'autorisa pas à exprimer la moindre plainte.

Alors que doucement le fleuve faisait tournoyer notre embarcation et que les rives défilaient autour de nous comme les personnages du théâtre d'ombres que Prague a inventé, je cherchais à la divertir de la peur qui nous glaçait le cœur et nous clouait les pieds. Je lui expliquai que nous étions en train d'appliquer l'unique remède contre la peste connu des Gentils. Ils l'appelaient « l'électuaire des trois adverbes » : « *Cito, longe, tarde* · Pars vite, va loin et reviens tard. »

Elle ne montra aucune réaction ni curiosité. Je guettais en vain les soupirs ou les larmes sous son masque. Elle se tenait si immobile dans l'inconfort de la barque que je commençai à me demander si elle ne s'était pas tout bonnement endormie.

Mais alors que j'essayais de me repérer en jetant des coups d'œil par-dessus le plat-bord de la barque, ses doigts se refermèrent sur ma main.

— David, demanda-t-elle sous son casque, tu as peur ?

Je fus tenté de mentir, de faire le brave. Puis je me rappelai sa capacité à détecter le mensonge.

— Oui, admis-je sincèrement. Je crois bien que je n'ai jamais eu aussi peur de ma vie.

— Moi aussi. Même si je n'ai pas encore eu beaucoup d'occasions, comme toi, de comparer avec mes autres peurs.

La remarque me fit sourire autant qu'elle me rassura. Le goût d'Éva pour la vérité n'avait d'égal que celui des jugements précis. Un instant plus tard, elle me demanda encore :

— Toi qui connais les mathématiques, sais-tu si une grosse peur plus une autre grosse peur, ça équivaut à un petit courage ?

L'incongruité de la question m'enchanta. Je ne pus retenir un rire qui me secoua tant que je faillis étouffer sous mon masque. Un fou rire qui emporta celui d'Éva. Et c'est ainsi que le Tout-Puissant nous vit peut-être, fuyant l'horreur et la haine dans une barque errante qui menaçait de se retourner sous nos éclats de rire.

3.

Je n'ai pas été père. Je n'ai eu ni fils, ni fille, ni aucune épouse. La science et l'étude en furent la cause, me dévorant le cœur autant que les jours. Mais s'il fut un temps dans ma vie où je pus mesurer l'intensité du bonheur des pères et l'immensité de la solitude de ceux qui ne se sont jamais accordé cette charge, ce furent ces mois que je passai à Cracovie en compagnie d'Éva.

Comme l'avait prédit le MaHaRaL, la peste infectait peu l'est de l'Europe. Elle cessait d'inquiéter bien avant Cracovie. Il nous fallut moins de cinq jours pour parvenir en cette ville, ou plutôt à Bouchnia, qui était juste au sud, la ville juive, car depuis presque un siècle les Juifs étaient interdits à l'intérieur même de Cracovie.

Là, à Bouchnia, je trouvai ouvertes toutes les portes amies. Quand on y apprit les raisons de mon retour et qui était cette enfant confiée à ma protection, elles s'ouvrirent plus grandes encore.

Dans l'excitation des premiers jours, chacun voulut admirer la petite-fille du MaHaRaL. La renommée du Maître, à elle seule, faisait d'Éva un prodige. Elle se plia à cette curiosité avec un plaisir gourmand, ne négligeant rien pour impressionner autant qu'elle le pouvait tous ceux qu'elle rencontrait, qu'ils fussent de son âge ou de vénérables aïeuls.

Heureusement, rien ne tournait aussi court que les jeux et les plaisirs faciles d'Éva. Son caractère se lassait très vite des répétitions et lorsque je lui proposai de reprendre nos études, elle n'eut qu'une question :

— Est-ce que tu peux m'apprendre les étoiles ?

Ainsi commença un long échange où je lui expliquai, à mon grand plaisir, une partie de mes connaissances. Entre autres moments précieux, je garde dans mon éternité le souvenir de sa belle stupeur quand je lui racontai comment le grand Copernic, il y avait peu, nous avait changé l'univers de fond en comble.

J'eus à peine achevé mon explication qu'elle se précipita à la fenêtre pour regarder la tache pâle du soleil qui ne perçait pas les nuages d'un ciel d'automne.

— Nous, on tourne autour du Soleil ?

— Oui, au contraire de ce que croyaient Aristote et Ptolémée. Et des millions de gens depuis.

— Je ne sens rien. C'est moi qui tourne, pas la maison, ni rien dessous mes pieds.

Elle riait en tournoyant sur elle-même. S'immobilisant d'un coup pour demander, tout à fait sérieuse :

— Comment peut-il en être si sûr, ce Copernic ?

— *Était.* Il est mort voici quarante et un ans. Il a étudié les planètes, leur taille, leur place, et a transformé ce qu'il voyait en calculs. Des calculs qui expliquent leur mouvement journalier, pourquoi nous voyons le Soleil si bas en hiver, si haut en été, pourquoi il se lève et se couche... Pourquoi Mars, Jupiter et Saturne se meuvent comme elles le font. Copernic a su également calculer la distance entre les planètes...

— Des calculs que tu saurais faire, toi ? Que tu saurais m'enseigner ?

— Non, je ne crois pas que je saurais les faire. Plus tard, peut-être.

72

— 23 heures, 56 minutes, 4 secondes... C'est ça, le temps que met la Terre pour tourner elle aussi ?

Éva dansait à nouveau en pivotant sur elle-même.

— Tu vois, je me rappelle. Tu l'as dit une seule fois et je me rappelle.

— Et de l'ordre des planètes selon les calculs de Copernic, tu te souviens ?

— Soleil, Mercure, Vénus, Terre avec la Lune autour, Mars... et... euh ?

— Jupiter.

— Ah, oui... Jupiter et Saturne.

— Et tout autour les étoiles fixes.

Elle observait le ciel d'un air perplexe, revenait examiner les dessins astronomiques que je lui avais montrés.

— Quand même, tu crois vraiment qu'il ne se trompe pas, Copernic ?

— Je suis certain qu'il dit juste.

— Grand-père rabbi le croit aussi ?

— Absolument.

— Mais il y a des gens qui ne le croient pas ?

— Oui. Surtout chez les Gentils, car ils pensent que Dieu a créé l'Univers pour placer l'homme au centre, et qu'en conséquence la Terre qui nous supporte doit également être au centre du cosmos. Ils pensent encore comme Aristote et ils se trompent encore avec Ptolémée.

— Et nous, non ? On ne croit pas que l'Éternel nous a placés au centre ?

— La Torah dit que Dieu a fait Alliance avec le peuple d'Abraham. Que la Terre soit au centre de l'univers ou qu'elle tourne autour du Soleil, cela n'y change rien, pas plus que cela ne change nos fautes et nos devoirs.

— Mais Dieu n'est pas dans le Soleil non plus. Il s'y brûlerait.

— Si, Il est dans le Soleil comme ailleurs, puisqu'Il est partout et nulle part, comme l'air que tu respires autour

73

du toi. Tu ne le vois pas, pourtant il entre dans tes poumons et s'il est infesté par la peste tu attrapes la peste...

— Et s'il y a Dieu dans l'air, je respire Dieu et j'attrape Dieu.

Elle riait de tout son cœur et j'avais du mal à garder mon sérieux.

— Que Sa gloire rayonne ! Dieu ne se brûlerait pas dans le Soleil, puisqu'il n'est d'aucune matière, au contraire de nous, des animaux ou des étoiles.

— C'est ce que j'aimerais bien voir, ce qui n'est fait d'aucune matière et quand même peut être assez fort pour construire des étoiles et des planètes.

Puis, un jour, à peine eus-je terminé notre prière du matin, qu'Éva me demanda brusquement :

— J'ai entendu dire que Grand-père rabbi est savant dans la Kabbale. Et toi aussi ?

À voire sa mine, je ne doutai pas qu'elle venait de ruminer cette question la nuit durant.

— Ton grand-père est savant en tout et moi en bien peu, répondis-je prudemment.

Éva m'adressa une de ces grimaces délicieuses qu'elle pouvait avoir lorsque l'exaspération la prenait devant les lenteurs et les prudences des adultes.

— Bon. Tu as compris. Ce n'est pas la peine de faire semblant. Qu'est-ce que c'est, la Kabbale ?

Je ris autant pour masquer mon admiration devant les manœuvres d'Éva que pour prendre le temps de me demander s'il était sage d'enseigner ne serait-ce que les rudiments d'un tel savoir à un enfant. À une fille. Fût-elle la petite-fille bien aimée du MaHaRaL.

Pourtant Éva avait raison. Inutile de faire semblant. Je savais que je ne résisterais pas à sa guerre si je me taisais. Et puis, comme si elle devinait mon doute, avec un œil froid elle ajouta :

74

— Ne me dis pas que je suis trop jeune pour comprendre. Je sais que son père a déjà appris des choses du Zohar à Isaïe

— Donc, tu connais le Zohar ? Le *Livre de la Splendeur* ?

— Juste le nom. Je ne l'ai jamais vu.

— Peut-être devrais-tu faire comme Isaïe : attendre que ton père te l'enseigne.

Éva haussa les épaules et me regarda bien droit dans les yeux.

— Ne sois pas bête, David. Tu sais bien que tu m'en diras plus, et mieux. Sinon mon grand-père rabbi ne t'aurait pas choisi pour m'enseigner ce qu'il faut apprendre.

Qui, jamais, sut résister à la puissance et à la séduction d'un raisonnement d'enfant ?

Ainsi me retrouvai-je à lui expliquer comment *Kabalah, KBLH,* en hébreu, signifiait l'idée et la vérité physique de la *Réception.* Et comment ce mot était devenu le sens le plus haut de l'enseignement que Moïse reçut de l'Éternel sur le mont Sinaï avec les table de la Loi. C'étaient là des choses bien complexes à comprendre pour une petite fille comme Éva, mais elle me fit signe de continuer.

— La Torah dit aussi que c'est là l'enseignement « de bouche à bouche ». Il se transmet par l'immense savoir du silence, de la prière et de l'écoute. Car Dieu en dit autant dans l'écrit que dans le non-écrit, dans le mot qui passe les lèvres que dans celui qui ne s'entend pas. L'espace entre les lettres est un souffle qui n'est pas un vide. Et ce silence, qui est pour ainsi dire l'envers du Verbe, est celui-là même qui vit l'enseignement de la Kabbale. C'est pourquoi on dit aussi que la Kabbale est un jardin. Le plus beau, mais aussi le plus dangereux. Un jardin où celui qui entre n'est jamais certain d'en pouvoir sortir, ni ne peut savoir comment il en sortira. Un jardin que nous nommons *Pardès* et qui s'écrit *PRDS*. C'est très important.

— Pourquoi? C'est un mot comme un autre.

— Non. Il n'est pas comme un autre. Aucun mot, si on y prête garde, n'est comme un autre. C'est cela que nous enseigne la Kabbale. Les lettres en disent toujours plus que leur signe, car elles disent aussi la puissance de leur silence. Dans PRDS, on lit P pour *Pshat*, « Signification »; R pour *Remez*, « Ce qui semble »; D comme *Drasch*, « Commentaire »; et S pour *Sod*, « Secret »... Ce sont là les quatre piliers qui soutiennent la parole de Dieu, dans Ses mots comme dans Son silence.

Éva se mordait les lèvres. Son effort pour comprendre était une merveille à voir. La beauté de l'intelligence fut toujours un de mes spectacles préférés.

Pour alléger sa réflexion j'ajoutai :

— Il y a dans le Talmud une jolie histoire qui nous aide à comprendre. C'est celle de quatre rabbis qui s'appelaient rabbi ben Zoma, rabbi ben Azzaï, rabbi Elisha ben Abouya et rabbi Akiva. Ils étaient sages et très saints, infiniment plus purs et savants que moi. La première fois que rabbi ben Zoma vit le jardin, il en tomba raide de stupeur et mourut avant d'atteindre le sol. Rabbi ben Azzaï, lui, se mit à danser de joie. Une belle danse tourbillonnante. Hélas, quand il eut tourné quatre fois sur lui-même, il ne fut plus capable de s'immobiliser car il était devenu fou. Rabbi ben Abouya vit aussi le jardin. Il fit un pas dedans et en ressortit aussitôt pour renier sa foi. Il usa tout le restant de ses jours à détruire et à piétiner la couche qu'il avait aimée et respectée. Il est devenu le messager du désastre. Rabbi Akiva fut le seul à traverser le jardin, à en supporter l'éblouissement sans se transformer en cendre à son retour.

Éva écarquillait les yeux et roulait nerveusement sa robe entre ses doigts fins.

— Il avait quelque chose de spécial pour se guider, rabbi Akiba?

76

— Oui. La Kabalah. Ce qui ne peut se dire, ce qui ne peut s'apprendre à la simple vision des mots. Ce qui a gouverné le silence quand Moïse reçut la Loi sur le mont Sinaï. Ce qu'il ne suffit pas d'apprendre comme on apprend une leçon.

— Et grand-père ? Est-il aussi entré dans le Pardès ?

— Oui.

— En est-il ressorti indemne, comme rabbi Akiva ?

— Je le pense.

— Pourquoi.

— Parce qu'il est lui, notre Maître, MaHaRaL.

Alors que l'hiver commençait à blanchir Cracovie et Bouchnia, je reçus les premières nouvelles de Prague : une lettre d'Isaac dont la teneur était plus mauvaise que bonne.

La peste avait reflué et l'épidémie semblait cesser. Cela au prix d'un nombre si épouvantable de morts que la ville avait perdu un tiers de ses habitants. Isaac me dénombrait les amis et camarades du klaus que nous ne reverrions plus. Dieu avait épargné le MaHaRaL et la plupart des membres de la famille d'Isaac. Vögele avait frôlé le pire pour soigner des servantes, mais se rétablissait. Jacob avait protégé comme un tigre son fils Isaïe.

Et si, à la fin, les massacres des Juifs avaient été mesurés, ce n'était dû qu'à la faiblesse des bourreaux et non à leur désir. Les plaies de la haine, nous le savions, seraient autrement plus difficiles à refermer que celles des bubons.

C'était pourquoi Isaac, à sa grande tristesse et à la demande du MaHaRaL, me priait de rester en Pologne quelques mois encore. L'empereur Rodolphe n'étant toujours pas de retour au château et Prague étant livrée à elle-même, le bourgmestre Maisel craignait que la fureur des chrétiens se réveille une fois qu'ils auraient recouvré leurs forces et appréhendé l'étendue du désastre.

Ainsi demeurâmes-nous les trois mois d'hiver à Bouchnia. J'en profitai pour étudier à nouveau la pensée du Rema et me plonger dans des écrits qu'il m'était devenu difficile de trouver à Prague. Une mince infidélité au MaHaRaL qui, des années plus tard, me fut bien utile quand je rédigeai enfin mon premier livre.

Éva se montra d'égale humeur tout ce temps, à ma surprise sans jamais montrer une grande nostalgie de ses parents. Peut-être était-ce le fruit de l'affection qu'elle trouvait dans chaque maison qui tour à tour nous accueillait, car je prenais soin de ne jamais peser trop longtemps sur nos hôtes. Elle avait ainsi noué de belles amitiés avec quelques enfants de son âge lorsqu'une nouvelle lettre d'Isaac me parvint.

Sur un ton mystérieux où perçaient une joie et une excitation que je n'avais pas ressenties depuis longtemps, il réclamait, au nom du MaHaRaL, mon immédiat retour à Prague. Quoique les routes du mois d'Adar aient été peu propices au déplacement, Éva et moi devions braver neige et glace séance tenante. J'eus beau relire sa lettre, mon impression première était bonne. Ce n'était pas le bonheur de revoir sa fille qui excitait son impatience, mais une tout autre et énigmatique raison.

Je peux l'avouer, aujourd'hui que tout cela n'est plus que poussière, moi qui depuis dix mois jouais au père, j'en voulus à Isaac de tant de désinvolture envers Éva. Et lui en voulus plus encore de rompre ce simple bonheur qui m'avait été accordé alors que le monde se roulait dans la fange.

Mais je dois aussi à la vérité de reconnaître qu'une semaine plus tard, aussitôt arrivé et fêté dans Prague, j'oubliai vite cet éphémère enchantement. Comme Isaac j'oubliai les joies simples d'Éva, ses impertinences et ses questions sans fin, ses doutes et ses ruses.

La nouvelle qui réclamait mon retour était grandiose. Il n'y avait pas une demi-heure que j'avais passé sa porte qu'Isaac me poussait dans la petite pièce où j'avais pour la première fois donné une leçon à sa fille. Il nous y enferma et chuchota, en retournant de ses doigts fébriles le bord de mon manteau de voyage :

— David, la semaine dernière, l'empereur Rodolphe a reçu notre Maître.

— Rodolphe et le MaHaRaL ?

— Et moi, et son frère rabbi Sinaï et notre beau-frère Isaac Weils. Nous quatre ! Il nous a reçus, nous quatre. Dès qu'il est revenu au château, après la peste, il a demandé notre Maître.

— Et pour ?

— Chut...

Isaac ferma les paupières, posa un doigt sur ses lèvres et secoua doucement sa grosse tête. Jamais je ne l'avais vu resplendir à ce point. Il finit par murmurer encore plus bas :

— Ça ne peut pas se dire.

— Tout de même, protestai-je, après les massacres par les chrétiens...

— Chut, David !

Isaac secoua encore la tête, me regarda d'un œil grondeur.

— Cela ne peut pas se dire !

— D'accord. Mais si cela ne peut se dire, pourquoi nous avoir mis sur les routes, ta fille et moi, par ce froid ?

— Parce que...

Isaac se mordit la lèvre, soupira et finit par secouer la tête. La vérité était qu'il n'avait pas assisté à la conversation entre le MaHaRaL et Rodolphe. Dès son arrivée au palais, l'Empereur avait entraîné le Haut Rabbi dans un cabinet secret d'une des tours et l'y avait gardé durant deux longues heures.

— Mais quand il en est ressorti, David, notre MaHaRaL avait un visage que je ne lui avais jamais vu.

— En bien ou en mal ?

— En grand bouleversement, je dirais.

— Et lui, qu'est-ce qu'il t'a dit ?

— Rien.

— Rien ?

— Presque rien. Seulement que l'Empereur avait promis de veiller sur notre peuple comme son père l'avait fait avant lui.

— Béni soit le Tout-Puissant.

— Mais le reste ne peut pas se dire.

— Donc je ne sais toujours pas pourquoi il nous a fallu courir depuis Bouchnia, Éva et moi.

— Parce que tu dois aller saluer notre Maître dès que tu auras passé le seuil de cette pièce. Il a une mission à te confier. Une mission que toi seul peux accomplir. Il a assuré à notre Empereur que tu t'en acquitterais.

LA MISSION

1

Le MaHaRaL parut moins impatient qu'Isaac. La cérémonie de la *havdalah* qui, après la prière du soir, clôt la journée du shabbat, se déroula avant qu'il me réclame.

Il me reçut dans sa petite pièce d'étude que je connaissais depuis notre première rencontre. En dix ans, elle n'avait changé que par l'amoncellement des livres et des rouleaux, qui ne laissaient plus qu'un maigre espace de travail. Il y régnait une chaleur douce, pourtant notre Maître portait son manteau doublé par-dessus ses habituels caftans. Cette fois, il m'accueillit dès mon entrée, me tendant les deux mains pour que je m'incline dessus. Ce que je fis avec empressement.

Cet instant me rappela l'intensité de mon émotion lors de notre toute première rencontre. Émotion qui ne s'est jamais démentie depuis. J'étais jeune encore, à un âge où les sentiments ont assez de violence pour s'inscrire dans la chair de l'esprit autant qu'un fer dans la chair du corps.

Je venais de comprendre que le MaHaRaL était pour moi plus qu'un maître qui m'impressionnait et que j'admirais avec dévotion. Le temps nous avait rapprochés, et plus encore la confiance qu'il m'avait accordée. Il m'avait confié la vie d'Éva, sa petite-fille bien aimée qu'il chérissait plus qu'il ne le montrait. Par cette confiance, je devinais

83

entrouverte la porte de son cœur et non plus seulement celle de son esprit.

À moi, qui depuis longtemps vivais sans famille, je voulais croire qu'il accordait un peu de l'affection qui l'emportait vers sa descendance.

Aussi, lorsque je relevai le visage, ne fus-je pas surpris de l'entendre me demander aussitôt :

— Elle s'est bien comportée, n'est-ce pas ?

Il n'aimait pas seulement Éva, ainsi que n'importe quel grand-père, il voulait être fier d'elle. Je le rassurai et lui fis un compte rendu de notre séjour à Cracovie. Je ne ménageais pas les détails sur les compliments qu'Éva y avait reçus. Le MaHaRaL montrait d'ordinaire peu d'inclination pour les choses banales du quotidien. Il m'écouta néanmoins sans aucune impatience.

Quand je me tus, il me tourna le dos pour aller déplacer des papiers sur sa table. Au mouvement de sa barbe, je devinai son sourire. Cependant, quand il se retourna, ni sa bouche ni son regard ne conservaient une trace de son plaisir. Le grand-père avait disparu, il était redevenu le MaHaRaL.

— Que t'a dit Isaac ?

— Que vous aviez une tâche pour moi, Maître.

— Tu sais, pour ma visite à l'Empereur ?

J'opinai.

— Et aussi qu'il vous a envoyé une voiture et des gens d'armes pour escorte.

Sa main fine balaya la remarque. Il se rapprocha de moi. Ses yeux s'arrimèrent aux miens. Il se mit à murmurer, si bas que je fus tenté de tourner la tête pour approcher mon oreille de sa bouche :

— « Soyez sur vos gardes dans vos rapports avec les puissants, car c'est dans leur intérêt qu'ils se rendent accessibles... »

84

Je reconnus là une citation du *Traité des Pères*. Je battis des paupières pour signifier que je comprenais, mais le MaHaRaL fit silence encore pendant un long moment.

Finalement, il déclara sèchement :

— L'empereur Rodolphe est un homme qui n'a pas plus de solidité d'esprit et de caractère qu'une cruche à demi cuite.

Sidéré par des propos si inattendus dans la bouche du Haut Rabbi, j'osai répliquer :

— Mais ne raconte-t-on pas que c'est un homme d'étude ?

Notre Maître plissa les yeux.

— Il étudie. À sa manière. Il connaît le latin et même plus d'hébreu que je ne m'y attendais. On pourrait croire qu'il aime la science et les savoirs.

La colère tremblait dans la barbe du MaHaRaL. Jamais je ne lui avais connu pareille véhémence. Il secoua la tête en un reproche silencieux avant d'aller s'asseoir sur son siège. Comme je ne bougeais pas, il me fit signe d'approcher, me désignant un tabouret recouvert de livres à la reliure de cuir. Je débarrassai le tabouret et pris place.

Le Maître frappa la table devant lui du bout de ses doigts.

— « Le livre du Caché est le livre décrivant ce qui est pesé dans la Balance ; car avant qu'il y ait une Balance, le Visage ne regardait pas le Visage. »

Comme tous ceux qui étudiaient dans son klaus, je connaissais ce geste et cette phrase par cœur. C'était ainsi que l'on désignait l'œuvre et les mouvements des mots de la Kabbale. La phrase sortait du Zohar et désignait le *Livre de la Splendeur* lui-même. Le tambourinement des doigts du MaHaRaL sur la table rappelait à celui qui prononçait ces mots qu'il ne devait pas les tirer du silence sans les rendre au silence.

85

Ce que nous fîmes, pendant quelques secondes.

J'aurais dû laisser le silence me prendre. Mais en cet instant je ne pus m'empêcher de rêver à ce qu'avait dû être ce face-à-face entre le MaHaRaL et l'Empereur. On disait beaucoup sur Sa Majesté. Qu'il ne chérissait rien tant que les secrets, adorait les mystères et les énigmes. Tout ce qui était caché excitait ses pensées. Vingt mages, devins, alchimistes et astrologues lui procuraient chaque soir le catalogue des événements qui doivent advenir le lendemain. Et, le lendemain, ils lui expliquaient pourquoi rien n'était arrivé de ce qu'ils avaient prédit.

Le bruit courait qu'il avait, depuis son arrivée à Prague, transformé le château, le *hrad*, comme on disait en langue de Prague, à l'image de son esprit. Il y avait fait construire un grand nombre de pièces secrètes. Et des cabinets encore plus secrets dissimulés dans les murs des pièces secrètes. Un peintre italien du nom d'Arcimboldo avait représenté son visage et son torse en un empilement de fruits, de légumes et de fleurs. Un potiron lui tenait lieu de poitrine, des aubergines, des poireaux et un radis noir pour le cou, une poire pour le nez, du raisin, des écrevisses et je ne sais quoi pour la chevelure. En y songeant ainsi, je me dis que ce qu'une mouche aurait vu pendant leur secrète rencontre eût été le choc d'une branche, certes desséchée mais encore éclatante de sève et de promesse, face à un étal dément de légumes bientôt suris.

Comme s'il avait deviné où me portaient mes pensées, le MaHaRaL me souffla, sans soulever ses paupières :

— L'Empereur voulait que je lui révèle les secrets de la Kabbale. Je lui ai répondu par les mots de rabbi Shimon bar Yochaï, que sa mémoire demeure : « Malheur à moi si je révèle ces secrets et malheur à moi si je ne les révèle pas. » Puis j'ai cité rabbi Abba : « Si notre Maître désire révéler ces choses, n'est-il pas écrit : " Le secret du Seigneur appartient à ceux qui le craignent " ? »

— Et comment a réagi l'Empereur?

— Avec des yeux d'enfant, il m'a dit : « Je sais bien que tous les secrets contiennent une menace. Le vôtre est grand et la menace grande en proportion. »

Je frissonnai en pressentant ce que ces mots pouvaient signifier. Le MaHaRaL se tut.

Et, brusquement, comme si déjà j'en savais beaucoup, ou plus sûrement parce qu'il avait senti l'agitation qui m'emportait et m'empêchait de l'écouter avec le calme nécessaire, il quitta son siège. Il me toisa du haut de ses six pieds.

— Nous nous reverrons tout à l'heure, David. Il est temps de chanter *Mélavé malka*, pour raccompagner la princesse, cette sainte journée qui s'en va.

Nous ne nous retrouvâmes que le lendemain, après la *min'ha*, la prière de l'après-midi. Je m'étais préparé à faire preuve de calme et à être digne de ce que notre Maître attendait de moi.

De fins rayons de soleil pénétraient à travers les fenêtres étroites, se promenant sur les livres et le parquet ciré comme un miroir. Le visage de MaHaRaL était plus fermé encore que la veille. Après un moment de silence, il cita Siméon le Juste, ou peut-être son disciple Antigone le Sokéen, je ne me rappelle plus bien : « Ne soyez pas comme des serviteurs qui servent leur maître en vue du salaire. Mais comme des serviteurs qui servent leur maître sans s'attendre à aucune récompense, et soyez pénétrés de la crainte de Dieu. »

Enfin il se tourna vers moi.

— Voilà ce qu'il en est, David. Aujourd'hui, Rodolphe nous protège, demain, si nous ne lui fournissons pas plus de raisons de nous aimer, sa déception sera notre malheur.

Cette fois, le MaHaRaL me confia comment, s'appuyant sur sa théorie du *be-mtsa'*, l'au-milieu qui demeure entre deux extrêmes et apaise le choc mortel des forces contradictoires, il avait convaincu l'Empereur qu'il n'était pas en mesure de lui procurer le secret de l'Univers. En revanche, il pourrait lui assurer la connaissance de l'Univers.

La formule avait séduit Rodolphe. Il avait tenu au MaHaRaL un long discours lui expliquant qu'il espérait bien devenir dans la mémoire du monde et de Dieu un empereur aussi glorieux que son grand-père, Charles Quint, dont il descendait tout droit par sa mère, Marie d'Espagne.

Charles Quint avait été immense pour avoir fait briller son Empire par-dessus les immensités maritimes, de l'Europe aux nouvelles Indes. Rodolphe le second, lui, serait aussi grand s'il pouvait faire de la Bohême le phare de toutes les nouvelles connaissances de l'homme. Prague, notre Prague, deviendrait le lieu de révélation des découvertes les plus inouïes, celles qui, dans la postérité, lui vaudraient la gloire de son aïeul...

Ainsi fut conclu l'accord. Le MaHaRaL promit.

Des disciples de confiance arpenteraient les universités d'Europe, écouteraient les discours, les conférences, les disputes les plus secrètes pour deviner où, dans quelle bouche et dans quelle tête, naîtraient bientôt les plus prodigieuses découvertes de la pensée, de la science et des mystères spirituels.

Comme il en recevait de la police sur les intrigues de sa cour, l'Empereur recevrait régulièrement des rapports sur ce bouillonnement du savoir qui fleurissait loin de Prague. Ainsi pourrait-il éviter que cette puissance nouvelle de la connaissance soit captée par des souverains moins glorieux que lui.

Plein d'enthousiasme, Rodolphe avait déclaré au MaHaRaL :

— Ah, grand rabbi, si vous me faites le découvreur des étoiles, moi, je vous ferai le peuple le plus heureux de l'univers.

Le MaHaRaL, lui, me dit :

— Ils ne sont pas nombreux, ceux en qui je peux placer ma confiance pour satisfaire l'Empereur. En réalité, il n'en est qu'un. Toi.

C'est alors seulement que je compris ce que notre Maître attendait de moi. Avec effroi. Car je le savais : chacune de ces sciences, de ces révolutions de la pensée et du savoir qui excitait la soif de possession de Rodolphe était aussi de celles que condamnaient férocement l'Église et l'inquisition du pape.

Et quand on était fils de Sion, c'était vouloir braver deux fois le danger.

Mais avais-je le choix, puisqu'en dépendait rien de moins que la paix pour les Juifs de Bohême ?

2.

Dix ans. Aujourd'hui, là où je suis errant à l'infini, sans matière ni joie, il m'arrive de me souvenir de ces années comme des plus heureuses de ma vie. Je ne les considérai pas ainsi sur-le-champ. Pas tous les jours. Il me semblait être au cœur d'un continuel tumulte, soumis à l'incertitude et aux caprices de ceux qui avaient fait le siècle. Mais je sais depuis que j'y ai goûté l'un des plus grands bonheurs qui soient donnés aux hommes : la liberté et la jouissance de l'intelligence, l'usage sans limites de leur esprit dans la quête de la compréhension du monde. Une manière d'insatiable ivresse qui était le quotidien des astronomes, des mathématiciens, des artistes et des philosophes, et qui vous emportait dans sa comète pour vous y consumer tout autant qu'eux.

Je franchis la porte de Prague à la fin du mois de Nissan.

La veille de mon départ, le MaHaRaL tint à prononcer la prière du voyage et, après un bref sommeil, je pris place dans un convoi de commerce qui s'en allait à la foire de Leipzig.

J'avais de quoi être inquiet. Et j'ai vu disparaître les murs de Prague avec un serrement de cœur. Il ne dura pas jusqu'au milieu du jour. L'excitation d'aller à la rencontre de ce monde neuf et secret, qui attisait tant la curiosité de l'Empereur, en vérité ravissait bien autant la mienne.

Ce fut d'abord un voyage simple.

Les soirs, quand nous arrivions dans un bourg ou dans une ville, il était rare qu'on ne trouvât quelque famille juive pour nous héberger. On nous transmettait les nouvelles et nous en apportions. Nous n'étions pas encore assez loin pour que la gloire du MaHaRaL fût méconnue. Apprenait-on que je voyageais en son nom et il me fallait aussitôt répondre à mille questions quand je ne songeais qu'à la couche qui m'attendait.

Après Leipzig, je me transportai d'une ville à l'autre en compagnie de voyageurs juifs qui connaissaient les chemins et les cités où notre présence n'attisait pas les violences. Les pays du Nord étaient loin d'être apaisés. Les massacres entre luthériens et catholiques y étaient pain quotidien et l'étincelle n'avait nul besoin d'être ardente pour déclencher la foudre.

Cependant, la véritable raison de la lenteur de mon voyage tenait aux universités que je souhaitais visiter.

Leipzig, Ratisbonne, Worms, Cologne, Bâle... Partout de belles et grandes écoles. On y trouvait des savants en mathématique capables de discuter de la science astronomique aussi bien en latin qu'en hébreu et, parfois, en arabe. Je profitais de chaque passage pour quêter quelques nouveautés qui ne seraient pas parvenues à Prague.

Les découvertes de nouveaux pays et continents déliaient le plus facilement les langues et excitaient encore bien des esprits. Mais ce n'était pas la géographie qui m'intéressait le plus. Et les voyages de Magellan, Cortès, les bizarreries des Indiens des Amériques n'étaient plus, depuis cinquante ans, des nouveautés. Il me fallait dénicher un autre savoir.

Néanmoins, même bredouille, à chaque rencontre avec un commerçant juif qui m'assurait se rendre à Prague, j'en profitais pour envoyer mes « rapports ». Combien en ai-je envoyé ? Mille, deux mille ?

92

Combien sont arrivés ? Je l'ignore. Tous furent adressés au MaHaRaL, qui décidait de l'opportunité de les faire lire à l'Empereur.

Comment et de quelle manière me suis-je retrouvé avec deux banquiers juifs de la ville italienne de Reggio, ma mémoire, pour une fois, ne le sait plus.

Pourtant leurs noms me restent : Zinatano di Musetto, fils de Moïse, et son frère Jekutiel. Ils se rendaient à Venise. À l'occasion d'un échange à la sortie de la synagogue de Cologne, je découvris en eux de grands admirateurs du MaHaRaL. La décision fut facile de faire le chemin en leur compagnie.

Il fallut contourner Colmar, interdite aux Juifs, accusés d'avoir soutenu l'hérétique Jan Hus, ce qui était faux. Nous arrivâmes à Bâle pour le shabbat, puis à Fribourg, chez un changeur pour lequel les frères Musetto possédaient une recommandation. Fribourg était séparée en deux par le Rhin. Ses rives étaient reliées par un large pont de bois. J'y découvris une horloge merveilleuse, énorme et dont on assurait qu'elle n'avait pas de réplique.

La première fois que j'entendis son carillon de huit heures, j'en fus tellement enchanté que j'attendis le concert de neuf heures.

Les Musetto ne cessèrent d'être des compagnons charmants, pleins d'attention et de révérence. Ils possédaient mille anecdotes sur chaque endroit, tant ils étaient habitués à ces voyages. Et, pour protéger leur commerce, ils n'allaient nulle part sans s'entourer d'une dizaine de serviteurs. Plus nous avancions vers le sud, plus mon sentiment de sécurité se transformait en insouciance.

C'étaient mes premiers voyages, et la leçon fut rude.

Nous venions de passer Trente, au bord de l'Adige, où je n'avais que peu apprécié les Juifs sévères de la communauté. Nous approchions des splendeurs du lac de Gardone. Tout ici était enchanteur et je crois bien que j'aurais pu y demeurer des semaines.

Au chaud du jour, alors que nous venions de dépasser une bourgade de pêcheurs et entrions dans un bosquet, deux ou trois charrettes emplies de volailles caquetantes nous barrèrent la route. Nos voitures s'immobilisèrent. Une clameur assourdissante nous pétrifia.

Surgissant de nulle part et de partout, une horde de bandits nous encercla. Des hommes et des femmes dépenaillés jusqu'à la chair nue, armés de bric et de broc : poignards, massues, crocs et gourdins. En un éclair, ils eurent les brides de nos mules en main, les femmes escaladant nos chariots avec des cris suraigus.

Je n'eus qu'à peine le temps de me dresser, celui qui semblait être leur chef et portait un bliaud de velours vert déchiré me tira à terre. Trois nains édentés qui devaient lui servir de garde personnelle me roulèrent dans la poussière, tandis que je voyais les Musetto se faire vicieusement malmener. Un coup de croc fit sauter la serrure d'un coffre de vêtements. Les frères cherchèrent à résister. Les coups les repoussèrent, si violents que le sang gicla de leurs épaules. Par réflexe plus que par courage je criais un « *Chema Israël!* » bien sonore. Ma rescousse n'alla pas plus loin. Une masse me frappa l'arrière du crâne et je me sentis curieusement sauter dans le néant.

Il est dit dans le Zohar que, lorsque l'homme en ce monde dort dans son lit, son esprit s'en va errer, désireux de s'élever la nuit durant. Là, devant chaque firmament, se dressent de nombreux gardiens armés pour lui rappeler sa place.

Les brigands de Gardone ne m'offrirent pas seulement un beau mal de tête et des jours d'inconscience. Dans mon coma, je vécus la plus curieuse des illusions. Un rêve, peut-être, qui ne s'est jamais effacé de ma mémoire, comme si le Saint-béni-soit-Il avait voulu me montrer que l'homme qui perd conscience devient riche de bien autre chose.

Je me vis monter au ciel. Dans le firmament supérieur, des anges séraphins entourés de cercles de feu, tous semblables à des brandons ardents, surgirent devant moi. Leurs dents, leurs yeux, tout était des étincelles brûlantes. Leurs habits : du feu flamboyant.

Je les entendis qui s'exclamaient : « Qui a mis celui qui est né d'une femme parmi nous en cette place ? »

La peur me saisit. Ils s'apprêtaient à me consumer avec l'haleine de leur bouche. J'invoquai les lettres du Saint Nom. Les anges se calmèrent.

Le grand prince qui les gouverne me demanda :

— Qui es-tu ?

Je lui dis mon nom. Il me répondit, en désignant l'espace derrière les anges :

— Par ce portail passent tous ceux qui ont souffert à cause de l'oppression des nations du monde. Tous entrent par ce portail.

Je levai les yeux. Je vis Éva. C'était elle, j'en étais sûr. Pourtant, elle n'était plus une enfant. Mes yeux ne me trompaient pas : sous l'arc des quatre portails se tenait une femme dont le visage était celui d'Éva.

Pourtant, c'est avec une voix d'homme qu'elle me parla : « Ouvre les yeux, David ! Le shabbat approche. Si tu ne l'honores pas, le Messie ne viendra pas. »

Tout en l'écoutant, je fis des calculs rapides et complexes, comme on apprend à les faire dans les exercices de concentration de la Kabbale. J'en déduisis que la valeur numérique du mot *shem hamashia'h*, le nom du Messie, correspondait à la valeur numérique du mot *shabbat*, le

95

samedi. Pour les premiers deux mots : trois cent quarante plus trois cent soixante-trois. Pour le second, sept cent deux plus un. Le chiffre de l'Éternel béni soit-Il !

Et voilà qu'achevant mes comptes j'aperçus sous le second portique notre maître le MaHaRaL. Il portait sa toque de martre et tenait par la main un être étrange, immense, difforme. Ou, plutôt, une forme d'homme qui n'était pas bien ressemblante. Molle et humide. Un mot vint dans ma bouche : Golem ! Golem ! Golem !

Peut-être l'ai-je dit de pleine voix ? La forme était vivante. Une créature douée de vie.

Elle s'approcha, bras ouverts. Le MaHaRaL eut un geste, mais la créature fut si près de moi que je sentis son souffle. Je fus incroyablement étonné : d'où venait son souffle, puisque je ne lui voyais pas de bouche ?

Le MaHaRaL prononça quelques mots. Je ne les entendis pas, vis seulement ses lèvres bouger.

La créature n'était plus. Je regardais partout autour de moi : plus rien. Le MaHaRaL me montra le sol. Je vis un tas de poussière.

Ainsi s'acheva mon rêve. Ou quoi que ce fût.

Je n'en dis pas plus maintenant. Tu comprendras bientôt pourquoi, lecteur.

Quand j'ouvris les yeux, j'aperçus une bougie.

Je voulus me tourner. Une douleur m'arracha un gémissement.

— Que l'Éternel soit loué ! s'écria une voix de femme.

— Qu'Il soit loué à jamais, amen, amen ! répondit une voix d'homme.

Je soulevai les paupières autant que je le pus. Un homme robuste, à la barbe noire, et une jeune fille blonde se tenaient près d'un fourneau.

Quand je voulus demander où j'étais, aucun son ne sortit de ma bouche. Mais l'homme avait compris :

— Vous êtes chez des amis. Chez de bons Juifs.

La fille ajouta :

— Vous n'avez plus rien à craindre.

C'étaient un père et sa fille. Leur maison était minuscule, mais sise au bord d'un lac enchanteur. Ils soignèrent mes blessures avec leur savoir de gens de la forêt. Le père était bûcheron et allait parfois couper jusque dans le haut de la vallée de l'Adige. J'appris que les Musetto avaient été enlevés puis libérés contre une belle rançon. Ils devaient déjà avoir rejoint Venise et, moi, je me retrouvais sans le moindre argent ni vêtement, sans même de quoi écrire !

J'hésitai à m'en plaindre ou à m'en réjouir. Je passai là presque six mois, aidant mes hôtes du mieux que je le pouvais. D'après la fille du bûcheron, je faisais merveille avec les oies. Il est vrai qu'elles ne me quittaient guère. Mais ce que je partageais le plus avec ces êtres de bonté était le rire, la douceur des jours et, je crois bien, une certaine insouciance qui ne m'est jamais plus revenue.

Puis, à la veille de l'an 5360 après la création du monde par l'Éternel, béni soit-Il, une troupe de jeunes rabbins s'arrêta pour demander du pain, de l'eau fraîche et la permission de dormir dans la grange.

Ils allaient à Venise acquérir deux exemplaires de la Bible de Soncino pour le compte du grand rabbin de Lublin, Mordechaï Joffe. Je repris la route avec eux.

Lors de mon bref passage à Francfort, une année plus tôt, j'avais entendu parler du célèbre philosophe et astronome Giordano Bruno. Suivant l'enseignement de la Kabbale, il approuvait la pensée selon laquelle le *ein-sof*, l'infini, avait été peuplé par le Créateur d'innombrables soleils possédant un nombre inépuisable de planètes. Chacune tournait autour de son astre, ainsi que Copernic, déjà, l'avait prouvé.

J'arrivai à Venise alors que le tribunal de l'Inquisition venait de mettre Giordano Bruno aux fers. En vérité, on ne lui reprochait pas seulement de croire comme Copernic, mais aussi d'avoir osé dire que la Kabbale des Juifs tenait un discours profond et sensé.

Je rédigeai un rapport plein de détails et de fougue pour le MaHaRaL. J'espérais lui faire comprendre la grandeur et le courage de ce Gentil, ainsi que la puissance de ses pensées, que je recopiai longuement. J'eus aussi la faiblesse de croire que, peut-être, Rodolphe apporterait son soutien à Bruno.

C'était bien trop attendre du très catholique empereur.

La fureur de l'Inquisition de Venise après cette arrestation m'incita à ne pas m'attarder. Je profitai de nouveau d'un équipage de commerce pour rejoindre Padoue.

Là vivait et enseignait Galileo Galilei, mathématicien et astronome qui inventa le premier thermoscope. Depuis mon départ de Prague, c'était l'homme que j'étais le plus impatient de rencontrer.

On m'avait pourtant déconseillé ce voyage : Galilei, bien entendu, était sous la surveillance de l'Inquisition. J'étais très incertain de pouvoir même l'approcher. Qu'un Juif vienne de si loin l'admirer ne pouvait que paraître suspect.

Mais on a compris depuis bien des pages que, pour ce qui était de la science des astres, j'ignorais la prudence.

Un matin de printemps brumeux comme je n'aurais jamais cru que cela arrivât en Italie, je me mêlai aux étudiants qui trouvaient place dans les recoins d'une vaste salle tout en gradins.

L'apparence de Galilei me stupéfia. Un gros homme d'une trentaine d'années, à l'élocution lente, aux épaules carrées, soucieux de sa toilette autant que des regards des quelques femmes qui se tenaient sur le côté de sa chaire. Malgré sa balourdise, il impressionnait et savait faire rire en expliquant les choses complexes.

Je fus assidu à ses cours pendant deux bons mois. Je l'entendis courageusement défendre la proposition de Copernic. Et, pour la première fois, dans sa bouche, j'entendis le nom de Tycho Brahé.

À l'approche de l'été, je parvins à me trouver devant lui dans un couloir. Au premier regard, à mes vêtements et sans doute à ma mine soucieuse, il me soupçonna juif. Il jeta un regard par-dessus son épaule, s'assura de notre solitude et s'adressa à moi en hébreu. Aussi vite que je le pus, je lui transmis l'invitation de Rodolphe. Ne voulait-il pas trouver la richesse et la paix, à Prague, pour étudier selon son gré?

Galilei leva un sourcil prudent. Je le devinai surpris et même flatté. Cependant, tant la brutalité de l'offre que le messager lui parurent étranges. Peut-être même songea-t-il à un piège de l'Inquisition? Sur un ton suspicieux, il me demanda de lui répéter l'offre de l'Empereur en latin. Il sourit après m'avoir entendu.

— Votre Rodolphe sait choisir ses émissaires, déclara-t-il, ambigu.

Des étudiants nous entouraient. Il se remit en marche et me lança hâtivement :

— Je ne suis pas ici en si grande odeur de sainteté que je puisse quitter Padoue à mon gré. Ni que je veuille m'y essayer. Mais il en est un à qui vous devriez faire votre proposition.

Et, de nouveau, il cita le nom de Tycho Brahé.

Ce fut tout.

Je restai à Padoue encore un peu, dans le vain espoir de revoir Galilei. Puis, comme j'avais projeté de me rendre à

Rome, je repris la route. Mais, arrivé à Rome, je compris que rien ne m'attendait dans cette ville, sinon les contraintes innombrables auxquelles les Juifs étaient soumis. Il me fallait suivre le conseil de Galileo Galilei, et rien d'autre...

Il me fallut cinq mois pour atteindre le royaume du Danemark, fruit de ma prudence dans mes déplacements autant que de ma volonté à me préparer au choc de la rencontre avec ce Tycho Brahé que je voulais impressionner. Ne serait-il pas merveilleux de revenir à Prague avec son accord?

Car plus j'avançais vers lui, repassant dans les universités et y lançant son nom, plus je comprenais que Galilei avait eu raison.

Le seigneur Brahé était fils de la haute noblesse danoise et en rien un homme comme les autres. Sa science et sa méthode d'étude éblouissaient les plus savants. Son opulence de noble, son goût de la fête et des querelles aussi.

Sur le fond – la question délicate de savoir qui, du Soleil ou de la Terre, tournait autour de l'autre, question qui allait, quelques années plus tard, envoyer Giordano Bruno au bûcher et contraindre Galilei à se dédire honteusement –, il était d'une parfaite prudence. Il arguait que Copernic avait raison... mais que son système pouvait être discuté. Ce qui lui permettait de ne s'attirer aucune foudre, qu'elle vînt de Luther ou du pape.

Pour le reste, Brahé était intransigeant. Il fallait tout revoir de la science des mouvements des astres, les calculs comme les moyens de les produire. Son ambition n'avait pas de limite. Il était fin manœuvrier, savait faire briller son savoir au point que le roi du Danemark lui avait offert de quoi réaliser son rêve : une île au large de Copenhague,

Venusia, et des monceaux d'or pour y établir un laboratoire d'observation, qu'il avait appelé Uraniborg. Tout le monde s'accordait à dire que c'était la chose la plus grandiose que l'on pût voir... Si on le pouvait.

Car, me répéta-t-on à satiété, le prince des astronomes se montrait jaloux de son savoir comme de ses résultats. Quantité de visiteurs avaient été purement et simplement mis à la porte. Ses nombreux assistants, il ne les choisissait qu'après une enquête minutieuse.

C'est lesté de toutes ces mises en garde que j'atteignis la côte du Danemark le septième jour d'Eloul, à la toute fin de l'été.

Le ciel était sans nuages, la mer mouchetée d'une écume légère que dispersait une brise sans violence.

Le nom latin de l'île, Venusia, venait de ce que les gens du lieu la nommaient « Ven ». Depuis la côte herbue où se disséminaient des maisons de pêcheurs et par une belle journée comme celle-ci, on la discernait aisément. Elle se découpait au centre de l'étroit chenal qui sépare le royaume de Suède de celui du Danemark.

Après être monté dans une barque à la voile carrée, je me réfugiai dans un espace discret. J'ai prié ce jour-là avec une ferveur que je n'ai, hélas, pas toujours éprouvée. Aujourd'hui, pourtant, cette dévotion me tire un sourire. Elle sentait la crainte plus que l'ardeur.

Si Dieu avait désiré offrir à l'homme un point d'où il puisse considérer le ciel d'un regard aussi pur que le cœur, Venusia était ce lieu parfait.

Ce n'était pas une grande île. De forme ovale, pansue comme un œuf d'oie, on en faisait le tour en une petite journée de marche. Au sud, une falaise aussi abrupte que les à-pics d'Autriche s'y dressait sur la mer. Mais, de son point le plus haut, elle s'abaissait vers le nord en un lent plateau. Le vent y soufflait chaque jour et les nuits d'hiver

101

y étaient interminables. L'air en demeurait d'une si intense clarté que le ciel fourmillait d'astres. L'obscurité venue, cela ressemblait à un tissu d'argent.

Le beau pays de Bohême m'avait accoutumé à bien des perfections d'architecture. Cependant, jamais je n'avais vu un bâtiment comparable à l'Uraniborg. Il occupait le haut du plateau, loin des brumes et des embruns.

Brahé l'avait voulu selon les plans de la Villa Rotonda de Palladio, à Vicenze, en Italie. Neuf années de labeur et une belle fortune avaient été nécessaires pour l'achever.

Aussi rond qu'une roue, surmonté d'une quantité de tours, clochers, dômes, toits rétractables et bulbes à fentes, il enserrait une vaste place centrale. Elle-même était entourée de terrasses conduisant à un cloître couvert dont les parties sacrées et croisillons étaient disposés selon une représentation du monde dessinée par Tycho lui-même. L'on y entrait par l'ouest, ainsi que l'Occident s'en vient à Jérusalem...

Il était presque midi lorsque je me présentai devant une manière de chambellan. Il me considéra avec autant de méfiance que je m'y attendais. Il disparut jusqu'à la fin de l'après-midi après avoir emporté les lettres de l'Empereur. Je patientai sans rien manger ni boire dans une sorte de courette munie d'un banc de pierre. On vint m'y chercher deux heures avant la nuit pour me conduire sans une explication dans un quartier réservé aux invités.

J'y demeurai trois jours, logé et nourri cette fois proprement, sans rien comprendre de ce que l'on espérait de moi, ni quelle décision je devais adopter. Après m'être morfondu dans l'attente le premier jour, je passai les suivants à me promener dans Venusia.

Je découvris qu'il y avait d'autres hôtes au palais, ainsi qu'une ribambelle d'assistants. Tous m'évitaient, sous surveillance, semblait-il, comme si j'avais été le vecteur d'une épidémie.

102

Le quatrième matin, alors que j'allais sortir, un serviteur me conduisit dans une salle tout ornée de figures des constellations soulignées de maximes peintes à l'or. La plupart célébraient la gloire du prince des astronomes. L'une vantait sa beauté physique et ajoutait : « Que brille plus belle, celle qui se cache : la beauté d'âme. » Une autre affirmait : « Très rares sont ceux qui ont l'âme assez pure pour avoir élu comme vénérable entre tous les métiers celui de contempler le ciel. » Une autre, encore, interdisait aux femmes de franchir le seuil de cette pièce.

Je l'avais imaginé grand, peut-être immense. Tycho Brahé était un homme petit, rond et roux, serré dans un costume noir. Son cou disparaissait dans une collerette empesée. Son front et ses joues offraient une grande pâleur, où ses yeux paraissaient d'un bleu de ciel. Pourtant, dès qu'on l'entrevoyait, quelque chose de lui surprenait.

La bizarrerie venait de sa moustache et de son nez. L'une était immense, pareille à deux queues de lapin bien droites enserrant sa bouche. L'autre était minuscule. Et d'une matière étrange.

Il me fallut quelques secondes pour comprendre que la chair du nez de Tycho n'était pas naturelle. Elle possédait des reflets de moire et d'or qui miroitaient selon ses mouvements. La forme, sans aucune souplesse naturelle, était d'une rigidité droite, munie de deux orifices larges en guise de narines, et faisait un peu songer au groin tronqué d'un jeune pourceau.

Le seigneur Brahé était accoutumé à ces surprises, cette manière d'être dévisagé lorsqu'un inconnu le rencontrait. Il attendit que cesse mon auscultation et que je montre un peu d'embarras pour me déclarer en latin :

— Alors Rodolphe veut de moi et vous envoie m'acheter ?

Il riait et je ne sus que répondre. Il s'amusa encore en ajoutant :

103

— Monsieur Gans, allons droit au but. Observons le mouvement des rois et des empereurs comme nous observons Saturne et la Stella Nova... Vous savez que c'est moi qui l'ai découverte, la Stella Nova? Je suis en état de donner tous les détails de sa course et l'intensité variable de son éclat durant cinq années jusqu'à sa disparition... Bien. Donc, pour répondre à Rodolphe, je disais : Allons droit au but. Je ne songe à quitter ni Venusia ni ce palais. L'un et l'autre ont été conçus pour mon bonheur et avec l'argent de Frédéric, roi du Danemark. Je leur dois de rester, à l'un comme à l'autre. Mais... mais demain... Ce pauvre Frédéric se fait vieux et ma vie est longue, si j'en crois la position de Mars. L'avenir toujours est incertain et les étoiles réclament notre regard éternel...

Il s'interrompit pour mesurer l'effet de son discours sur moi. Je n'ai jamais su ce qu'il en conclut.

— Donc, si je ne dis pas oui à votre empereur, poursuivit-il, je ne lui dis pas non. Vous pourrez lui écrire cette réponse dans votre prochaine lettre. Et ce que vous découvrirez d'autre dans Venusia. Puisque vous êtes venu espionner chez moi pour son compte, n'est-ce pas? Ne protestez pas, ce n'est pas un reproche. Je suis très accoutumé aux espions. Il en vient sans cesse dans mon Uraniborg. Toute l'Europe capable d'aligner trois chiffres et de se souvenir du nom d'une planète veut m'espionner. C'est un principe naturel, monsieur Gans : ceux qui sont incapables de penser, créer et découvrir par eux-mêmes volent. Cela fait beaucoup de monde, vous savez.

Il se tut, sourit, ce qui eut pour effet de soulever extraordinairement les pointes de sa moustache, qui parut un instant à l'horizontale.

Il me demanda encore :

— Savez-vous pourquoi j'ai donné ce nom d'Uraniborg à ce palais, monsieur Gans?

Je répondis aussi vite que je le pus que cela devait être en hommage à celle que les Grecs nommaient Uranie.

— Ptolémée en avait fait sa muse et Copernic place son *De revolutionibus orbium cœlestium* sous son patronage.

Le prince des astrologues approuva, plissant si fort les paupières que le bleu de ses yeux disparut. Il quitta le latin pour un hébreu sans beaucoup d'accent :

— Vous êtes juif, monsieur Gans.

Ce n'était pas une question, plutôt un constat. Ce n'était pas un reproche non plus. Mais une découverte qui donnait à Brahé un sourire de gourmandise.

— Vous connaissez les mathématiques ?

— Oui.

— Bien ?

— Assez.

— L'astronomie ?

— Autant.

— Le grec, le latin, l'arabe ?

— Oui.

— L'araméen ?

— Oui, quoique imparfaitement.

— Vous sauriez me refaire une traduction des tables d'Ibn al-Shatir ? Copernic en a fait une, mais j'y soupçonne des erreurs.

— Je crois que je pourrais.

— Et la Kabbale, monsieur Gans, vous sauriez me l'apprendre ?

Je ne fus pas très étonné de la question. Mais, avant de parler, je ne pus m'empêcher de songer à ce qu'aurait répondu mon Maître le MaHaRaL dans une pareille circonstance.

— Bien moins que vous ne l'espérez, dis-je.

— Que savez-vous sur mon espérance ?

— Parler d'« apprendre la Kabbale » montre qu'on la considère comme un outil. Une lunette qui permettrait de

105

voir mieux et plus loin, comme celles que vous avez là-haut dans votre palais et que je n'ai toujours pas approchées. Pourtant, il s'agit de tout autre chose. Kabalah signifie « Recevoir », « Réception », Maître Brahé. Et recevoir le silence du Saint-béni-soit-Il exige plus que des calculs.

Le prince des astronomes me regarda avec enthousiasme.

— Ah, je le savais ! Tu vois que tu es capable de me l'enseigner, cette Kabbale, s'exclama-t-il en passant au tutoiement. Tu viens de me donner ma première leçon, David Gans.

— Votre déception risque d'être bientôt aussi profonde que votre espérance, répondis-je. Je ne suis qu'un modeste rabbi qui ne vous conduira que dans un modeste voyage. Si vous alliez à Prague, comme on vous y invite, vous rencontreriez mon Maître, rabbi Lœw, le MaHaRaL. S'il est un puits de science et de sagesse en ce monde, le voilà. Il s'approche du Pardès comme nul autre. Ne comptez pas sur moi pour en faire autant.

Comme il me voyait le dévisager, Tycho Brahé se méprit. Il porta soudainement la main à son nez.

— Réglons ça une bonne fois, monsieur Gans.

Entre le pouce et l'index, il retira la prothèse qui lui servait de nez. Il la fit miroiter sous mes yeux alors que je découvrais avec stupeur sa face plate. Elle ressemblait plus que jamais à celle d'un goret. Les deux orifices du groin béaient, longs et roses, très hauts sur sa face, juste sous ses yeux. Les mèches de sa moustache n'en paraissaient soudain que plus prodigieuses.

— J'ai perdu le reste dans un duel. Mais ces prothèses sont parfaites. Une excellente protection contre les irritations et les infections. Je ne les trouve pas disgracieuses. Je les ai dessinées et conçues moi-même.

Il me laissa admirer son faux nez. Il était composé d'un métal étrange qui faisait songer à un mélange de mercure et d'or plaqué sur une peau de chevreau.

106

— Celui-ci est pour ainsi dire d'apparat. J'en possède d'autres couleur de chair. De la cire modelée sur du cuir. On s'y tromperait... d'un peu loin.

Le sourire transformait son visage plat en un curieux éparpillement d'orifices.

Il sortit de la poche de son pourpoint une petite fiole de graisse adhésive que je reverrais souvent au cours des années suivantes. Après en avoir enduit l'intérieur, il replaça son nez.

Et moi, en cet instant, en contemplant Tycho, je sus que je tenais de quoi répondre à la demande de l'empereur Rodolphe et étancher sa soif de science et de bizarreries au-delà de son désir.

Ce que j'ignorais, c'étaient les six années de patience auprès de lui avant que le seigneur Brahé ne me laisse repartir à Prague avec cette assurance.

À l'automne de l'année 5356 après la création du monde, 1596 selon le calendrier chrétien, une fin d'après-midi où le vent soufflait sur l'île à n'en plus finir, Tycho Brahé me réclama par l'intermédiaire de la clochette. Il s'agissait d'un nouvel et ingénieux mécanisme qu'il avait mis au point quelque temps plus tôt. Par des conduits et des cordons savamment agencés, il actionnait des clochettes dans les chambres de ses assistants depuis la salle de réception ou même de sa chambre.

À ma surprise, il m'attendait derrière la longue table à manger. Une vingtaine d'invités, hommes et femmes, lui tenaient compagnie. Le festin et la beuverie duraient depuis des heures et avaient accompli depuis longtemps leur œuvre sur les uns et les autres.

Jamais, par goût autant que par fidélité aux Lois de Moïse, je ne partageais ces monstrueuses bombances. La pièce était dans un désordre épouvantable, ce n'était qu'un chantier de saleté, ça puait la bière et les pâtés trop faisandés, le débraillement laissait voir tout ce que l'on voulait et il ne restait pas même de dalles assez propres pour qu'on pût atteindre la table sans se souiller les bas.

Je crus défaillir et me bouchai le nez en m'approchant. Je m'étais tellement accoutumé au faux nez de Tycho que je ne songeai pas un instant à l'affront que mon geste pouvait signifier. La colère fulmina dans ses yeux rougeoyant d'ivresse.

J'eus droit à un rire. Tycho retira son faux nez et exposa sa face plate à la vue de tous.

— Qu'en penses-tu, David Gans, toi, le kabbaliste? Ferais-je un bon Golem?

Sidéré par ces mots, je restai stupidement à le regarder. Des gloussements d'ivresse résonnèrent autour de nous.

Tycho trempa un doigt dans une sauce épaisse et marronnasse qui se trouvait sur la table. Agilement, il dessina sur un mouchoir de lin, en hébreu, les quatre lettres du mot ÈMET, Vérité.

Il se ficha le tissu sur le front, se dressa en chancelant.

— Le Golem du Danemark va s'en aller bientôt pour Prague!

Les rires redoublèrent. Je bondis et arrachai le linge des mains de Tycho, l'enfonçai dans une cruche d'eau grasse où tous s'étaient rincé les doigts.

— Non! hurlai-je. Ne faites pas ça! Ne faites jamais ça!

Un silence extraordinaire tomba sur l'assemblée. On nous regardait, moi qui avais parlé d'un ton que nul n'osait jamais employer envers le prince des astronomes, et Tycho, dont chacun guettait la réaction.

Nos yeux se trouvèrent et restèrent rivés comme des pièces de fer prises par le gel. Peut-être Tycho lut-il dans les miens que j'étais au-delà de toute réprimande.

108

Il eut un sourire que la blessure de sa face rendit infiniment épouvantable.

— Tu y crois pour de bon, à cette possibilité du Golem, David Gans ?

Sa voix était calme, seulement étonnée, un peu incrédule.

Je lui répondis :

— Cette question n'existe pas et ne connaît pas de réponse.

D'un geste sec et précis, qui ne sentait plus sa soûlerie, il replaça sa prothèse sur son visage, agita les bras vers les festoyeurs.

— Foutez-moi le camp. Ouste ! Débarrassez le plancher ! Tous. J'ai à parler avec M. Gans.

Il se rassit et, quand nous fûmes seuls, il me demanda :

— Tu connais quelqu'un qui serait capable de cela ? De créer un Golem ?

Mon désir fut de ne pas répondre. Et peut-être, d'une certaine manière, n'ai-je pas répondu. Mais la pensée et les mots franchirent mes lèvres.

— Oui. S'il en est un dans ce monde qui le peut, je le connais.

Bien sûr, Tycho voulut savoir à qui je pensais. Cette fois, je sus me taire. Il insista, je tins bon. Il eut un geste las.

— L'Uraniborg de Venusia, c'est fini, David Gans.

— Fini ?

— Retourne dans ta Prague et demande à Rodolphe combien il est prêt à payer pour que je reconstruise mon Uraniborg chez lui.

— Quand dois-je partir ?

— Aussitôt que tu le pourras, David Gans.

LE CHAOS

1.

Lecteur, tu auras pu constater combien, durant ces dix années de pérégrination, j'avais oublié la promesse échangée par Isaac et Jacob.

Pis encore, à ma honte aujourd'hui, j'avais à peine songé à Éva. Et certainement jamais à Isaïe. Ma tendre complicité avec la petite-fille du MaHaRaL qui, un temps, m'avait enchanté, semblait avoir disparu de mes souvenirs, de ma vie et, pour ainsi dire, avoir appartenu à un autre.

C'était oublier que la mémoire ne nous appartient pas. Elle va dans le temps avec une force qui lui est propre et que l'oubli ne peut entamer tout à fait. Par la volonté du Saint-béni-soit-Il, elle est la puissance commune qui nous lie à jamais, que nous le voulions ou non. Elle œuvre à sa manière souterraine pour resurgir à l'improviste et imposer ses devoirs alors qu'on s'y attend le moins. Mon retour à Prague fut l'occasion d'en faire l'éclatante expérience.

D'abord, on m'y fêta comme je ne m'y attendais pas. Sitôt mon arrivée connue, l'empereur Rodolphe envoya son chambellan pour s'enquérir des lettres de Tycho que j'avais annoncées et rapportées du Danemark.

L'entrée de la voiture de cet homme dans la ville juive fut un événement. Il allait en pourpoint lie-de-vin à collerette de batiste, une chaîne d'argent médaillée sur la poitrine, un chapeau de velours à plume de faisan et une garde de douze hommes d'armes à cheval.

Qu'il me montrât toutes les marques d'un respect attentif fut encore moins commun. Cela assura ma gloire pour quelque temps. Il me posa toutes les questions auxquelles je m'attendais quant à la venue du prince des astronomes à Prague. Les réponses étaient faciles : elles avaient été conçues d'avance par Tycho lui-même.

À la suite de quoi, quelques jours durant, je fus une sorte de héros que l'on vint visiter. Aujourd'hui j'en souris devant vous et y resonge avec cette même ironie qui plisse vos yeux. Mais lorsque le MaHaRaL en personne me témoigna toute son attention affectueuse, quand il ordonna qu'on vienne dans son klaus m'écouter raconter par le menu mon séjour auprès de Tycho, mon orgueil en fut flatté bien au-delà du raisonnable.

Ainsi, je passai de longues heures dans le klaus à décrire les merveilles de l'Uraniborg et des études que l'on y menait, la grandeur des édifices de Tübingen, l'hôtel de ville de Bâle, les canaux de Venise et l'université de Padoue, où j'avais rencontré l'homme qui, grâce à la Kabbale, avait découvert l'Univers. J'expliquai les calculs et les traductions que j'avais accomplis sur Venusia avec Tycho Brahé. Un résumé qui fut l'objet de bien des débats. Je retrouvai cette passion de savoir et de comprendre qui n'existe et n'existera jamais que dans les yeshivas, où vingt paroles nouvelles peuvent engendrer une infinité de discours.

Isaac et Jacob ne furent pas les derniers à me témoigner une affection dont je m'étais déshabitué. Vögele et Rebecca, leurs épouses, insistèrent pour m'offrir un grand repas de retrouvailles. Pour la première fois – et la dernière, je dois dire –, on cuisina pour moi des cous d'oie farcis, des carpes farcies et le rosol, un bouillon aux vermicelles préparé avec soin. Puis on apporta des plateaux de ces gâteaux au fromage et aux amandes dont je raffolais quand j'étais enfant. Et c'est ainsi que je retrouvai Éva.

Ce jour de fête, à peine eus-je pénétré dans le vestibule de la maison d'Isaac que je me retrouvai face à une belle jeune fille. Une femme, en vérité, dans la splendeur de sa jeunesse. Le temps d'un éclair, un souvenir me coupa le souffle. Cette femme qui était devant moi, je l'avais déjà vue dans sa beauté nouvelle. Je l'avais vue en rêve, ou quoi que fût cette imagination qui m'avait emporté pendant mon inconscience, à Gardone, après avoir été assommé par les brigands.

Éva était à présent plus grande que moi d'un pouce. Elle possédait encore cette grâce particulière venue de l'adolescence mais aussi un plein corps de femme, avec ce poids de sensualité qui n'appartient qu'à la toute-puissance de la vie.

Je reconnus le front haut qui venait de son grand-père, mais le visage était d'une finesse nouvelle. Son cou avait acquis la délicatesse d'une fleur et la masse de cheveux libres et sombres lui faisait un écrin émouvant. Elle avait toujours eu une bouche petite, désormais elle s'était dessinée comme deux pétales riches et fermes qui s'ouvrent à l'approche du printemps. Ses joues s'étaient arrondies, les pommettes un peu plus larges peut-être. Ce que l'on remarquait avant tout, c'était l'ambivalence de son regard qui mêlait la profondeur à la volonté. De ses yeux de pleine mer venait la sensation d'une eau dormante pourtant intensément vivante.

Elle sourit. Si je ne l'avais pas déjà reconnue, ce sourire m'aurait enflammé le cœur.

— Éva !

— David !

— Que l'Éternel te bénisse ! Que tu es belle... Je ne puis le croire !

Elle eut un petit rire de coquetterie. Elle n'ignorait pas sa beauté. Ma surprise et mon admiration la flattaient tout de même, ainsi qu'un bonheur attendu. On se considéra quelques secondes avant de s'embrasser. Une étreinte emplie de tendresse et d'un peu de gêne. Notre élan appartenait à l'affection pure, née il y avait bien long-temps, mais c'était un vrai corps de femme que j'enlaçai en cet instant. Sa jeune poitrine se pressa contre mon torse. La douceur de sa joue était une caresse de soie. Dans ses cheveux et son cou, je respirai un parfum nouveau qui me fit battre le cœur.

Pendant que nous étions ainsi enlacés, les paupières closes, je songeai : Heureux, mille fois heureux celui qui sera son époux.

Pour me traiter aussitôt d'imbécile. Je savais qui serait son époux. Isaïe.

Bienheureux Isaïe, pensai-je alors, avec une morsure de jalousie, autant l'avouer aujourd'hui. Cela est si loin que la glace de l'éternité où je suis condamné ne fondra pas, hélas, au feu de ce beau et trouble souvenir.

Éva devina mes pensées. À moins qu'elle ne fût effleurée par les mêmes.

Elle s'écarta avec une douceur qui ne masquait pas tout entier la violence de son émotion. Je remarquai la rougeur de ses joues, le brillant différent de ses pupilles.

Je voulus voir ses mains, vérifier si déjà elle portait l'anneau du mariage, si la promesse était accomplie. Mais elle garda ses doigts noués aux miens. Je ne vis rien et n'osai pas poser la question. Elle dit, à demi moqueuse, d'une voix plus chaude et plus ample que celle qu'elle avait enfant :

116

— Peut-être devrais-je t'appeler *oncle* David?

— Et pourquoi? Tu m'as toujours appelé David, pas autrement.

— Je ne suis plus une petite fille. Ce serait plus respectueux, tu ne crois pas?

Son ton me la fit mieux regarder. Elle éclata de rire. Elle se moquait de moi. Éva l'espiègle! Éva la terrible! Elle n'avait pas changé. Rien n'avait changé que son apparence. Je le sus dans cet instant. Je ris avec elle. Heureux comme je ne l'avais pas été depuis trop longtemps.

— Avise-toi de m'appeler « oncle » une seule fois, lui dis-je pour masquer mon trouble, et je te traiterai en petite fille. Je suis certain que ça te plaira.

— Peut-être vais-je t'appeler rabbi David, répliqua-t-elle avec un regard qui me fit frissonner. Pendant ton absence, c'est ainsi que je t'appelais. Et souvent...

Des portes s'ouvrirent, des amis entrèrent, on m'entoura. Nous ne fûmes plus seuls de tout ce jour.

Plus tard, je cherchai Isaïe. J'étais impatient de voir ce qu'il était devenu et s'il s'accorderait bien avec Éva. La réponse à mes interrogations ne me plut guère.

Je ne découvris le fils de Jacob qu'au repas. Il vint me saluer, sage et cérémonieux. J'essayais de me rappeler l'enfant qu'il avait été. Rien n'avait beaucoup marqué ma mémoire, sinon que Jacob l'avait façonné comme un double de lui-même. Un garçon très sage, qui se tenait à l'écart et jouait peu.

J'eus beau fouiller dans mes souvenirs, je ne trouvai aucun instant qui nous eût rapprochés et nous portât à l'affection. Et à le voir là, pas bien loin d'Éva, parmi les amis qui riaient et déjà chantaient, je crus être l'objet d'une illusion.

Jacob avait atteint son but de manière stupéfiante. On observait Isaïe et on voyait son père rajeuni de vingt années. Ce n'était pas seulement l'apparence physique, quoiqu'ils partageassent jusqu'à la confusion la même maigreur, le visage long aux lèvres minces, les oreilles un peu grandes, les belles et longues mains, la barbe clairsemée aux reflets de tourbe. Isaïe possédait le regard, le geste et la sévérité d'expression de son père. À bien le regarder, on devinait chez le fils plus de douceur, cependant, et moins d'assurance dans le ton et les manières.

Parfois, lorsqu'il regardait Éva, Isaïe esquissait un sourire. Mais très vite sa bouche retrouvait son fil sévère et ses yeux se posaient sur vous avec un sérieux qui aurait dû n'appartenir qu'au poids des ans. Il m'appela « oncle David », me posa d'aimables questions. Polies et pas vraiment intéressées. En vérité, nous étions de parfaits étrangers.

Je crois qu'en cet instant, découvrant Isaïe près d'Éva, j'ai su le futur. Je me dis que non, qu'Isaïe ne pouvait pas être le bienheureux époux d'Éva. Qu'il n'en était pas *digne*. Cette pensée m'horrifia aussitôt qu'elle se formula dans mon cerveau. J'y détectai une mauvaise jalousie plus qu'une clairvoyance.

Tout au contraire, je songeai que la beauté d'Éva, mon admiration pour son caractère et la tendresse qui venait de m'emporter en la retrouvant femme m'égaraient de la plus détestable manière. Douter de cette alliance – et ce n'était pas la première fois – était de surcroît faire un affront épouvantable à mes amis Jacob et Isaac qui justement me fêtaient avec leur grande affection. Une horreur !

Je me morigénai. Je venais de passer dix années trop loin de ceux qui composaient désormais ma famille. Trop loin de Prague, du MaHaRaL et de sa sagesse.

J'enfouis ma jalousie et mon mauvais jugement dans les ténèbres de mon cœur. Je me détournai d'Éva et d'Isaïe et, durant tout le temps que dura cette fête qui m'était destinée, je pris soin de les voir le moins possible.

118

D'ailleurs, quand j'entendis les chants et le son des violons qui accompagnaient cette bombance, j'eus les larmes aux yeux. On était chez nous, dans nos bonheurs simples et fidèles. Des bonheurs qui m'avaient manqué depuis si longtemps que j'en avais perdu le goût au point de l'oublier. Les retrouver était une émotion violente. Comme si j'étais de nouveau vivant en entier.

Isaac et Jacob m'entourèrent comme des frères. Je remarquai leurs cernes plus creusés et leurs rides plus profondes. L'embonpoint avait encore arrondi Isaac, tandis que Jacob paraissait plus sec et plus maigre que jamais. Ils devaient constater sur moi le même passage du temps. Il ne fallait pas s'en plaindre. Ainsi est la beauté de la vie qui va comme un mouvement, déployant et embellissant autant qu'elle use. Moi qui suis désormais hors du temps, je peux vous l'assurer mieux que personne.

Mais lorsque les invités refluèrent, que la fatigue apaisa les rires et les danses, l'instant que je redoutai sans oser me l'avouer arriva.

Isaac m'appela dans un recoin de la pièce, où Jacob aussitôt nous rejoignit. En cœur, ils s'exclamèrent :

— Le Tout-Puissant en soit mille fois remercié! Nous n'osions plus croire que tu serais là pour le mariage!

Je souris et opinai comme si cette perspective ravissait mon cœur.

Jacob me demanda :

— Tu les as vus? Tu as vu comme ils sont beaux et vont si bien ensemble?

— Le caractère d'Éva n'est plus celui que tu as connu, renchérit Isaac. Elle est devenue calme, ses caprices sont passés, elle est presque sage.

— Et certainement très belle, dis-je.

— Isaïe aussi a maintenant fière allure, déclara Jacob en me regardant droit dans les yeux. Mais ce n'est rien à côté de sa sagesse et de la profondeur qu'il met à l'étude.

119

— Sais-tu qu'Éva, elle aussi, n'a cessé d'étudier, comme si elle voulait un jour en savoir autant que son grand-père ? s'amusa Isaac.

— Bien qu'il ne soit pas nécessaire qu'une épouse cherche à en savoir autant que son époux sur des choses qui sont hors de sa portée pour des raisons de nature. La sagesse ne sera jamais du domaine des femmes, le Saint-béni-soit-Il.

— Je te concède que ton Isaïe sera sage pour deux, admit Isaac sans se départir de son rire. Mais il devra tout de même compter avec une épouse douée d'une intelligence qui vaut son caractère.

— Isaïe saura se faire respecter dans sa maison, assena Jacob sans plus rire ni sourire.

Je devinai que cette joute n'était pas nouvelle entre eux. Sous les rires, elle cachait quelques inquiétudes. Presque malgré moi, comme agité par mes ténèbres, je demandai :

— Au moins, s'entendent-ils bien ? S'aiment-ils ?

— Ils s'entendent, fit Isaac en inclinant la tête sur le côté, ce qui était depuis toujours sa manière de ne répondre qu'à demi à une question.

— Isaïe n'a qu'un cœur. Il est grand, il est fidèle, il n'y a pas d'autre femme au monde que sa promise. Il me l'a dit lui-même : c'est comme s'il ne connaissait pas d'autre visage de femme que celui d'Éva.

— C'est beau et bien, admis-je en dissimulant mes doutes et une déception qui n'était pas loin de la colère. Et quand donc est fixé le mariage ?

— Dans deux mois, juste avant Kippour. Ainsi, ce sera parfait : nous nous sommes fait notre promesse au lendemain de Kippour. Vingt ans se seront écoulés. Que la volonté du Saint-béni-soit-Il s'accomplisse.

120

Dans les jours qui suivirent, j'évitai de rencontrer Éva. Je m'arrangeai pour ne voir Jacob et Isaac qu'à la synagogue ou dans le klaus de notre Maître. Si bien qu'en peu de temps, profitant encore de l'agitation qui m'entourait depuis mon retour, je parvins à repousser la pensée de cette folle émotion qui m'avait saisi en retrouvant Éva, ainsi que cette promesse de mariage qui ne me semblait toujours pas plus raisonnable qu'elle ne m'avait paru au premier jour. L'une et l'autre, je le devinai, si j'en laissais courir les effets dans mon cœur et mon esprit, en viendraient à se muer en une sorte d'épine où s'éraillerait l'équilibre de mon existence.

Sans doute aurais-je dû mieux y réfléchir. User un peu de cette sagesse que nous enseignait le MaHaRaL, m'ouvrir de mes doutes à Isaac au moins. Avoir le courage de mes sentiments autant que de ma raison.

Mais c'était là un des traits de mon caractère qui ne me faisait pas briller et ne réclame, même avec le recul des siècles, aucune indulgence. Il était des épreuves que je savais contourner avec une agilité experte.

Cependant, Dieu connaît nos faiblesses. Il sait, tôt ou tard, nous contraindre à ouvrir les yeux.

Trois semaines après mon retour, comme un peu ivre d'avoir tant raconté les merveilles de ma quête, je sentis refluer ce plaisir. Le chambellan de l'Empereur m'avait rendu une nouvelle visite. J'appris que Rodolphe avait l'intention de faire la plus majestueuse des offres à Tycho : qu'il vienne installer son Palais des Étoiles à Prague, dans un lieu à sa convenance, propre à sa science. Une entreprise aux frais de l'empire et Tycho recevant le titre richement doté de *Mathematicus* officiel. Afin de mieux cerner ce projet et les nécessités qu'il imposait, l'empereur Rodolphe toutefois désirait lire un compte rendu de ma main, et en latin, des travaux accomplis à Venusia, ainsi

121

qu'une description des machines et de l'architecture du Palais des Étoiles.

Une longue écriture à laquelle j'avais pris plaisir et que je venais d'achever. Je m'étais flatté, en y travaillant, que cela puisse devenir, si l'Empereur l'acceptait, un livre véritable. Rodolphe le refusa toujours, au prétexte qu'il contenait des secrets qu'il devait garder pour lui, si bien que mon premier ouvrage, qui trouva le jour une année plus tard dans une imprimerie de Prague, fut bien différent.

Toutefois, en achevant cette tâche, j'avais senti que se refermait avec elle le chapitre de ces années. Il était temps de reprendre une vie ordinaire et de progresser auprès du MaHaRaL, qui avait poussé sa pensée et son savoir plus loin que je n'étais capable désormais de le suivre.

Songeant à tout cela, un joli soir de la fin du mois de Tammouz où la nuit venait très tard, j'allai me promener au bord de la Vltava. L'air encore brûlant du jour vibrait des cris d'oiseaux et du coassement inépuisable des grenouilles. Je marchai longtemps, suivant les courbes du fleuve. Puis, alors que le soleil avait déjà disparu derrière les collines de la rive opposée, je revins sur mes pas. Tout absorbé par mes pensées et me laissant glisser avec douceur dans l'obscurité plus grande, je m'arrêtai au hasard. Je trouvai une souche pour m'asseoir. Maintenant la fraîcheur du fleuve courait sur la rive avec la brise. Elle semblait pousser l'ombre devant elle comme une caresse gorgée d'odeurs. Je demeurai là à écouter les bruits de la vie nocturne qui s'éveillaient, l'esprit enfin vacant et éprouvant cette paix si particulière de n'être rien d'autre qu'une présence parmi le fourmillement du monde.

Je dus demeurer ainsi quelque temps, car la nuit était pleine lorsqu'une voix me fit sursauter.

— David...

Je fus debout d'un bond. Sa silhouette dessinait une obscurité plus dense et plus pure dans la pénombre.

— Éva!

— Je savais te trouver là.

Elle parlait bas. Les grenouilles, qui s'étaient tues quelques secondes, reprirent leur vacarme protecteur. Je me rappelle avoir songé que leurs coassements possédaient la fermeté d'une porte qui se refermait sur Éva, un peu comme si elle m'avait rejoint dans une pièce discrète.

Avant que je prononce une parole, elle trouva ma main et me fit rasseoir sur ma souche. Il y avait tout juste assez d'espace pour qu'elle prît place à côté de moi. Les tissus légers de sa robe roulèrent sur mes cuisses, je sentis son buste contre le mien, son parfum, le ballant de sa respiration et la légère moiteur de sa paume contre la mienne. Je sus me taire.

Nous demeurâmes silencieux. Il semblait que, par-delà le murmure régulier du fleuve et le chant des grenouilles, nous pouvions percevoir dans notre silence la profondeur d'un accord qui n'eût pu s'atteindre par des mots.

Puis, avec douceur mais netteté, Éva dit :

— Tu m'as évitée depuis des jours, David.

Je ne répondis pas.

Elle laissa encore passer un temps et ajouta :

— Sais-tu que nous sommes à l'endroit exact où tu m'as poussée dans la barque quand nous avons fui la peste?

Je l'ignorais. Je souris dans le noir. Elle pressa un peu ma main, comme si ce pouvait être une réponse à mon sourire.

La fraîcheur du fleuve nous enveloppait, mais nos corps, à chaque point où ils se touchaient, brûlaient. Je fis un effort pour oublier Isaïe et beaucoup d'autres choses.

— Je me souviens de notre séjour à Cracovie, reprit Éva. Pendant que tu étais loin je n'ai cessé d'y songer. Parfois, le soir, pour m'endormir, je me racontais notre voyage et cela me venait si bien que j'avais l'impression de le vivre une nouvelle fois. Des histoires de gamine, mais pas seulement. J'ai appris auprès de toi qu'un homme pouvait se comporter envers les femmes comme si elles valaient autant que lui. Tu étais gentil et patient comme personne ne l'a été ni avant ni jamais après. Tu m'aimais bien.

De nouveau je ne trouvai pas de réponse, mais c'est moi, cette fois, qui pressai sa main. Elle dit :

— Après, tu m'as manqué. Je pensais à Cracovie, mais c'est toi qui me manquais, rabbi David.

Elle parlait si bas que ses mots semblaient s'éparpiller dans le tintamarre des grenouilles. Peut-être ai-je fermé les yeux pour faire comme si je n'avais pas vraiment entendu.

Nos doigts enlacés demeurèrent comme du plomb.

Puis, soudain, Éva laissa aller sa tête contre mon épaule. Elle retira sa main de la mienne et m'enlaça, son bras enserrant mon dos, agrippant le tissu du caftan léger que je portais désormais, à la manière de MaHaRaL. À travers le tissu, sous sa joue embrasée qui se pressait contre mon épaule, je devinai l'humidité de ses larmes.

Son souffle fut cette fois si près de mon oreille que je ne pus feindre de ne pas l'entendre.

— Tu as compris, David, n'est-ce pas ?

— Je ne sais pas.

— Je n'épouserai pas Isaïe.

— Éva !

— Écoute-moi, David, je t'en prie, écoute-moi...

— La promesse de ton père...

— Elle concerne mon père, la folie de mon père. Celle de Jacob tout autant. Mais ce n'est pas possible. Il y a longtemps que je le sais. Et toi aussi, tu le sais. Depuis plus longtemps encore, même si tu ne dis rien. Je l'ai lu dans tes yeux. Je l'ai lu dans ton cœur.

— C'est impossible, Éva. Tu vas les briser.

— Et tu préfères que je me brise parce que mon père n'a pas pris la mesure de ce qu'il promettait ? Je croyais que toute votre sagesse, toutes vos études, toutes vos disputes, c'était pour apprendre à porter vos devoirs et vos responsabilités. Mon grand-père ne dit-il pas que le premier pas en direction du jardin de pureté, c'est de porter devant l'Éternel les paroles que nous avons prononcées ? Mon père a prononcé la promesse. Pas moi. Je n'étais pas même née.

Elle se tenait toujours agrippée à moi, mais sa tête s'était redressée pour libérer la colère qui bouillonnait dans ses mots. Des mots terribles tant ils étaient justes.

Je la devinai qui me regardait dans le noir. Un peu plus bas, elle dit :

— Et toi, tu as été témoin de leur folie. Tu t'es tu.

— Je n'avais pas à dire.

— Grand-père rabbi aussi a laissé dire et faire. Et ma mère et ma grand-mère aussi. Tous, vous m'avez abandonnée comme si je n'étais pas faite de sang et de chair, pas douée d'esprit, mais seulement le jouet des paroles de mon père.

— Et Isaïe ? As-tu songé à Isaïe ? Il t'aime...

La poigne qui me tenait me frappa brutalement le flanc. Éva gronda.

— Ne dis pas ça, toi ! C'est comme si tu prononçais un blasphème devant l'Éternel. Tu sais ce que c'est que m'aimer, toi. Même si tu le caches.

Elle laissa peser un silence plein du coassement des grenouilles. Soudain, comme si elle voulait se cogner à une porte, elle enfonça son front contre ma nuque.

— Isaïe n'aime rien, David. Pas même lui. Il veut seulement obéir à son père... Et encore ! On croirait plutôt qu'il veut devenir son ombre. Oh ! oui, lui, il veut l'accomplir,

125

cette promesse! Il ne pense qu'à ça. Il s'imagine que l'accomplir, c'est comme grimper l'échelle des Sefirot!

Je sentis son front rouler contre mon épaule en un signe de dénégation.

— Isaïe n'est pas encore né, David. Il me suffit de le voir et de l'entendre pour savoir qu'il m'est impossible de l'aimer et plus encore d'entrer dans sa couche.

Je ne parvenais plus à prononcer un mot, à peine à respirer. Les paroles d'Éva s'abattaient sur mon cœur comme une grêle. Je devais me retenir de toutes mes forces pour ne pas l'enlacer, la serrer contre moi et lui baiser les lèvres en lui criant qu'elle avait raison. Que son père et Jacob avaient fauté, que j'avais fauté tout autant qu'eux et même, à ma manière, plus qu'eux.

Je me contraignis au contraire à songer au chaos qui s'élançait vers nous comme une pierre de fronde. Je m'obligeai à me mentir. À croire qu'il n'y avait pas d'autre issue que cette promesse.

Mais Éva était faite d'intransigeance et de jeunesse. Pas une parcelle de son âme ne pouvait être corrompue par le mensonge.

— Tout ce que je ne peux pas faire avec Isaïe, je le ferais avec toi en pleurant de bonheur, David. Tu le sais. J'ai même rêvé que tu en aurais le courage. Mais je sais bien que non.

— Éva, tu ne dois pas...

Elle couvrit ma bouche de ses doigts.

— Je sais tout ce que tu peux dire. Je sais tout ce que tu penses. Et je ne t'en veux pas. C'est ainsi. Je ne te demande rien d'autre que de continuer à m'aimer. Et quand ils se déchaîneront contre moi, toi, il faudra que tu continues à m'aimer.

Je n'eus pas le temps de protester. Ses lèvres remplacèrent ses doigts. Un baiser qui, le temps d'un éclair, me fit

126

croire que l'univers était encore plus vaste que ce que j'en avais conclu lors de mes voyages.

Puis Éva disparut dans la nuit. Les grenouilles cessèrent brusquement leur chant. Tant de siècles après, j'entends encore chacun de ses pas. Pendant un instant, ce fut étrange. Il me sembla qu'elle allait disparaître parmi le feu des étoiles et que je devais courir derrière elle.

2

Le Haut Rabbi Salomon Louria, béni soit son nom et qu'il rayonne de gloire jusqu'à la fin des temps, enseignait à Safed, en terre d'Israël, les mille sens de la Kabbale et arpenta le Pardès comme un jardin de roses. Il assurait que, à l'origine des origines, Dieu était parti en exil en Lui-même, qu'Il s'était contracté en un point d'atome dans le Saint des Saints et qu'ainsi, pendant un temps, le vide le plus absolu, le plus impensable, avait régné dans l'univers. Rabbi Salomon appelait ce mouvement la « Contraction », le *Tsimtsoum.*

Quand les pas d'Éva ne furent plus audibles, qu'il ne me resta que la nuit et le chaos de ce qui venait d'avoir lieu, je crus, et pour longtemps, que mon cœur, mon âme, mon corps et ma raison avaient été balayés à jamais par ce vide inhumain du Tsimtsoum.

Tu imagines, toi qui me lis, mon tumulte et mon supplice sans que je retourne beaucoup le fer dans ma plaie.

Ce furent assurément les jours les plus épouvantables de mon existence. Je ne savais plus où se trouvaient le bien et le mal, ce que je devais faire et ne pas faire. Et, finalement, comme ces corps inertes du ciel qui suivent leur course selon les lois mystérieuses qui les font graviter avec régularité dans le silence sidéral, je m'enfouis dans l'ordinaire des jours.

Mon premier mouvement fut d'éviter Éva à tout prix. Cela s'accomplit si bien que j'en déduisis qu'elle était animée par une même volonté.

J'avais retrouvé mon logement au-dessus de l'atelier de cuir de Joseph. Chaque jour, je le quittais et le retrouvais sans avoir fait d'autres pas que ceux qui me conduisaient au klaus du MaHaRaL.

Autant que cela était possible, j'évitai également de me retrouver seul avec Isaac et Jacob. Surtout Isaac, en vérité, dont j'aurais difficilement supporté le regard.

On me laissa sans peine mener cette vie, on l'approuva, même, y voyant un besoin de me discipliner après ces années passées loin de nos habitudes et de nos règles.

Mais j'étais au désespoir. Je ne cessais de penser à Éva et à la souffrance qu'elle endurait. Ma honte, ma rage, mon impuissance en redoublaient.

Pouvais-je faire face à Isaac et tout lui raconter? Briser son bonheur, le couvrir de reproches, qu'il devine même mon amour pour Éva? Réduire à néant le rêve de sa promesse? Bien sûr que non.

Pouvais-je affronter Jacob, le dissuader tout autant de poursuivre son obstination? Lui montrer combien son fils avait besoin d'un autre rêve que celui d'épouser Éva, et qu'à le poursuivre il allait s'y fracasser? Bien sûr que non.

Pouvais-je me libérer de mon tourment en déposant la vérité devant le MaHaRaL? Peut-être.

Je faillis le faire. Ou, plutôt, notre Maître, dans sa grande intuition, dut pressentir mon tumulte et sa cause.

J'avais pris l'habitude de prier plus longuement chaque jour, y goûtant une paix que je ne trouvais nulle part ailleurs. Un jour, après la prière du matin, le MaHaRaL fut à mon côté alors que je m'engageais dans le petit couloir qui rejoignait les salles de la yeshiva.

130

Il posa la main sur mon épaule et l'y laissa tandis que nous marchions encore quelques pas. Puis ses longs doigts se resserrèrent un peu. Je m'immobilisai et lui fis face.

De sous ses sourcils blanchis qui s'étaient encore allongés, son regard me scrutait. Sans dureté. Avec calme. Je compris que le MaHaRaL me devinait aussi bien que si mes pensées avaient été posées sur la table la plus proche Comme pour me le prouver, il me posa une question qui me fit vaciller autant qu'un coup :

— David, crois-tu que ma petite-fille soit heureuse ?

Je ne trouvai pas quoi lui répondre. Mon émotion fut si forte que ma gorge se noua et que des larmes – oui, des larmes, il faut l'avouer – brouillèrent ma vue.

Je sentis la main du MaHaRaL qui se retirait de mon épaule. Je l'entendis murmurer : « Aïe, aïe, aïe. »

Je cherchais désespérément mes mots. J'ouvris la bouche, mais notre Maître secoua la tête. Un signe que je compris sur-le-champ.

Qui disait : Non, le mouvement est lancé qui doit suivre sa course. Éva est Éva, qui va selon son destin. Et ainsi est la loi qui veut que le père soit le maître de sa fille et que nul n'ait le droit d'intervenir pour le détourner de sa voie. Ainsi est la volonté du Saint-béni-soit-Il que nous récoltions ce que nous avons semé.

Et je me tus.

Bientôt nous ne fûmes plus qu'à quelques semaines du mariage. Quand je consentais à y prêter l'oreille, j'entendais qu'il se préparait activement. L'exubérance de Jacob et d'Isaac croissait. Moi, je ne voyais Éva ni n'avais aucune nouvelle d'elle, et puisque le temps passait et que le jour d'accomplissement de cette incroyable promesse approchait, j'eus la faiblesse de croire qu'Éva, finalement, avait renoncé à s'en défaire. Elle allait se marier.

131

Et tout rentrerait dans l'ordre. Même si cet ordre n'était qu'une couverture mal ajustée sur le chaos.

L'atmosphère de Prague, tout autour de nous, portait à la joie et à l'exubérance des projets. Depuis que l'empereur Rodolphe avait fait de Prague sa capitale, le commerce y était devenu d'une opulence jamais connue. L'argent coulait, même chez nous, dans la ville juive. Le bourgmestre Maisel surveillait l'achèvement des travaux de la nouvelle grande synagogue qui était l'œuvre de sa vie.

De riches commerçants accourus des grandes villes de l'Empire arrivaient à nos portes avec des équipages étincelants. Ils offraient des fêtes, des dons pour les écoles ou la vieille synagogue, et repartaient avec des contrats signés par le chambellan de Rodolphe en personne.

L'humeur légère étourdissait tout le monde. Même les visiteurs du MaHaRaL semblaient moins assidus aux longs débats de la yeshiva.

Puis la foudre s'abattit, cinq jours avant Roch Hachana et dix avant Kippour.

J'entrai à l'aube dans le klaus et entendis des cris et des gémissements du côté de la pièce du MaHaRaL. Je m'y précipitai. Le Maître se tenait sur le seuil, rigide comme une statue. Isaac allait et venait en se frappant la poitrine. Il grinça mon nom en me voyant.

— David !

Je devinai à demi. Je songeai aux pires horreurs.

— Qu'y a-t-il ?

— Éva...

— Eh bien, Éva ?

— Elle est partie.

— Comment ça, partie ?

— Partie, enfuie ! Cette nuit ! Partie avec un homme, Dieu Tout-Puissant !

— Avec un homme ?

132

— La honte, David, la honte sur nous !

— Quel homme ?

— La honte sur nous tous ! Ma fille nous couvre de honte !

J'agrippai Isaac, le secouai comme un sac.

— Quel homme ?

— Un marchand. Un riche marchand de Worms, qui venait à la maison depuis quelque temps. Il se nomme Bachrach...

Maintenant, c'était Isaac qui s'arrimait à moi et qui me hurlait :

— Je l'avais invité au mariage ! Tu te rends compte ! Je l'avais invité !

Quand je tournai la tête vers le MaHaRaL, je vis qu'il n'avait pas frémi d'un cil. Mais ses yeux pâles me disaient qu'il savait tout depuis le début.

3.

Avant la fin du jour, toute la ville juive connaissait la nouvelle. La foudre fût-elle tombée sur nos têtes, elle n'eût pas répandu un effroi plus grand. Je ne puis me souvenir de ce jour sans voir des rues vides, figées dans le silence, autant que si un deuil extraordinaire les avait frappées : Éva Cohen, fille d'Isaac et de Vögele, petite-fille du MaHaRaL, fuyant la maison de son père, fuyant Prague, la Bohême, ses devoirs et son rôle. Disparaissant avec un homme de quarante ans, un Juif, certes, riche mais inconnu. Un homme de Worms qui ne pouvait être un homme de foi puisqu'il s'était soumis à sa folie ou, qui sait, l'avait même encouragée.

Lecteur, toi qui vis dans ce siècle d'aujourd'hui, il te faut imaginer ce que représentait ce coup de tonnerre. Aujourd'hui, la fuite d'Éva serait, au pire, le caprice d'une jeune femme et, plus sûrement, l'affirmation d'une liberté que tu admirerais et soutiendrais. En cette année 1598 de l'ère chrétienne, ce fut comme si s'entrouvrait la porte hideuse du chaos.

Disparue sans recevoir la bénédiction de son père et de son grand-père, Éva brisait irrémédiablement la promesse qui liait son père et Jacob Horowitz. Elle piétinait les lois et les affections. Elle humiliait Isaïe, répandait les pleurs, la honte et la crainte sur sa famille.

Sa famille qui était celle du MaHaRaL.

Autant dire une femme plus morte que morte.

Pendant quelques jours, il me sembla que chacun allait la nuque ployée en ne songeant qu'à cela. Même si, en vérité, pendant des semaines je n'entendis plus prononcer le nom d'Éva.

Isaac se tint reclus dans sa maison. On ne le vit plus de tout un mois. Pour Kippour, il ne se rendit à la synagogue qu'au cœur de la nuit. Jacob et Isaïe, eux, s'y montrèrent avec ostentation. L'un et l'autre plus sévères, plus pâles que jamais. Deux mannequins de chair raide fuyant les bavardages et portant l'affront avec une dignité qui faisait baisser les yeux.

J'entendis dire que Jacob avait forcé la porte d'Isaac et qu'il en avait résulté une dispute épouvantable. Jacob en était venu à désigner Éva par des noms que nul n'oserait répéter. Et comme Isaac ne pouvait se résoudre à laisser insulter sa fille, quelle que fût sa faute, Vögele s'était mise entre eux, avec des larmes et des cris pour qu'ils n'en viennent pas aux mains.

Une dispute que je ne peux raconter pour n'y avoir pas assisté. Je me préservais bien de fréquenter la maison de Jacob. Je n'aurais pu y apporter aucun réconfort. Et pour ce qui était de moi, chaque pièce, chaque frôlement de vêtement et même les odeurs de la cuisine m'auraient rappelé trop de choses qu'il me fallait bannir et que je ne pouvais confier qu'au baume de la prière.

Le MaHaRaL aussi se retira du regard public.

Il fit savoir qu'il rédigeait un ouvrage depuis longtemps remis : *Ner Mistva, Le Flambeau du Commandement.* C'était un long commentaire sur le livre de Daniel et la fête de Hanoucca. Une œuvre qui réclamait assez de concentration pour qu'il remette à plus tard les heures hebdomadaires de débats qu'il accordait aux élèves de la yeshiva et

136

à ses visiteurs. Et ainsi, pendant des mois, on ne le vit se déplaçant que pour les tâches tout à fait indispensables, allant à la synagogue et en revenant le visage clos, les yeux fixés sur ce que nul autre que lui ne pouvait voir. Quant à ses mots, on eût pu compter ceux qu'il prononçait sur les doigts des deux mains.

Au cœur de l'hiver, la douleur et même le souvenir de la fuite d'Éva commencèrent enfin à s'estomper.

Quelques semaines après Kippour, Isaac revint au klaus de notre Maître. Nos regards se croisaient difficilement. Nous étions comme des hommes dont les membres auraient été récemment brisés et qui ne pouvaient se mouvoir qu'avec prudence.

Jacob fit son retour, lui aussi. Après quelques hésitations, il eut la grandeur de faire le premier pas du pardon. Un jour, dans le vestibule de la petite synagogue jouxtant la yeshiva, nous vîmes soudain les deux vieux amis face à face. Murmurant et gémissant. Puis en larmes dans les bras l'un de l'autre.

Le lendemain, pour la première fois depuis longtemps, le MaHaRaL notre Maître vint tenir un enseignement. Il nous lut des pages de son *Ner Mistva*. Le jour sur Prague était sombre, entre pluie et neige, et ce fut comme si une bouffée de printemps nous arrivait.

Hélas, sous l'apaisement de la surface, le mal persévérait. Derrière le masque de paix sévère qu'il affichait, Jacob affrontait les reproches de son fils.

Après des semaines de stupeur où sa mère Rebecca avait craint pour sa santé, Isaïe se réveillait dans les ruines de son existence.

Depuis les premiers jours de son enfance, sa vie avait eu un ordre et un espoir. Vingt ans durant, il n'avait pas été d'heure et d'année qui s'écoulent sans les conforter. Jacob lui avait enseigné et mille fois répété que la promesse dont il était la chair et l'accomplissement reposait sur l'observation scrupuleuse de ses devoirs. Il devait connaître et tenir sa place. Ainsi que chaque homme, il était un grain de l'univers, mais ce grain, par sa pureté, témoignait du plaisir de Dieu de le voir en vie. L'effort était grand mais à la hauteur de la récompense. Épouser Éva n'était pas seulement remplir son rôle d'homme. Réaliser la promesse faite par son père à Isaac Cohen, c'était prouver à tous les Juifs du monde que le Saint-béni-soit-Il les tenait dans Sa paume. Qu'encore Il accordait cet amour particulier à ce peuple avec lequel Il avait conclu l'Alliance.

Et, à sa manière, Isaïe avait appris à aimer Éva, et même à l'admirer, puisqu'elle était l'autre part de cette magnifique promesse.

Et puisque ainsi tout était parfait, puisque tout advenait selon l'ordre voulu par son père, pas un instant il n'avait observé le visage, les gestes, les mouvements, le regard d'Éva avec un minimum d'acuité. L'affection, le désir, la crainte, qui rôdent dans les pensées d'un garçon bientôt près d'empoigner tout le mystère d'une femme destinée à être sa compagne de vie ne l'avaient jamais effleuré.

Aveuglé par la grandeur du rôle que lui avait offert son père, Isaïe n'avait su deviner dans la froideur et la distance d'Éva autre chose que la saine et sensible modestie qu'il imaginait convenir à sa future épouse.

Et soudain, comme si une substance empoisonnée avait dissous chaque mot avec lequel Jacob avait peint la réalité et soutenu ses efforts pour l'embellir encore, il ne demeurait devant Isaïe qu'un gouffre épouvantable. L'horreur d'un néant empuanti par le mensonge de bonheur qu'il avait lu sur les lèvres de son père bien-aimé.

Un soir de neige, le quatrième ou cinquième jour de Chevat, il gelait à pierre fendre. Le MaHaRaL venait de franchir le seuil du klaus enveloppé dans son immense manteau. Nous venions derrière lui, Isaac, Jacob et moi, ainsi que quelques autres. Nous fîmes une vingtaine de pas, les yeux rivés sur le sol glissant qu'éclairaient mal nos lanternes. Une ombre se dressa devant nous au milieu de la ruelle. Il y eut un cri. C'était Isaïe.

En simple chemise, les cheveux fous et le regard brûlant de fièvre. Un peu de salive séchait au pli de ses lèvres comme pour un cheval qui aurait trop longtemps mâchonné son mors.

Avant que le MaHaRaL eût le temps de faire un geste, il hurla :

— Vous m'avez menti ! Vous tous !

Son index maigre pointa tour à tour la poitrine de son père, d'Isaac, du MaHaRaL et même la mienne. Son index eût été une lance, il nous aurait transpercés.

— Vous tous, vous êtes des menteurs ! Vous promettez et vous ne savez pas tenir !

Sa voix était haute. On eût cru un enfant en révolte.

Jacob se précipita.

— Isaïe ! Isaïe, mon fils, calme-toi !

— Non !

Isaïe le repoussa avec la force des fous. Jacob chancela. Il se serait affalé dans la neige si Isaac ne l'avait soutenu. Isaïe vociféra :

— Tu es le premier des menteurs, mon père. Tu as des serpents sur les lèvres !

Ses cris attiraient du monde. Des portes s'ouvraient, des visages s'approchaient. Les lanternes s'accumulaient et nous éclairaient mieux.

Le MaHaRaL s'avança. Face au corps trop mince et torturé d'Isaïe, sa silhouette parut plus immense que jamais. Il tendit la main dans un geste d'apaisement. Il prononça quelques mots d'une voix si basse que je ne les saisis pas, mais je vis Isaïe lever le visage vers notre Maître. Il avait l'air surpris par ce qu'il entendait.

Un souffle de raison passa dans son regard. On aurait pu penser qu'il allait se calmer.

Mais non. Sa bouche se tordit et, cette fois, chacun dut emporter avec lui les mots qu'il jetait à la face du MaHaRaL :

— Vous non plus, vous ne tenez pas votre promesse. Vous dites : Il faut appliquer les commandements de Dieu. Vous dites : Il faut placer le corps matériel sous la dépendance de l'âme, et l'étincelle divine accomplira le Bien. Vous dites que les choses doivent se passer comme ci et comme ça. Mais elles se passent autrement, et vous n'avez même pas le pouvoir de vous faire obéir par votre petite-fille !

Il ricana. On écoutait, mais on aurait dû se boucher les oreilles. Sa violence et son irrespect pétrifièrent tout le monde.

— Vous dites : Un Juif n'est pas seulement responsable de lui-même. Le juste et le faux qu'il accomplit deviennent le juste et le faux qui pèseront sur tout notre peuple. Et moi je vous dis : Ce que m'a fait Éva sera une peste pour vous tous !

Enfin Jacob et Isaac réagirent. Ils se précipitèrent. De sa paume, Jacob bâillonna la bouche de son fils en suppliant :

— Tais-toi ! Tais-toi, Isaïe, n'insulte pas notre Maître !

Ce fut épouvantable. Isaïe se débattit, pleurant et gesticulant : un damné. Sa fièvre décuplait sa force. Il secouait son père et Isaac comme des fétus. J'allais venir à leur aide quand le MaHaRaL les écarta. Il referma ses longues mains sur les épaules fragiles du garçon. Isaïe s'immobilisa. On aurait dit qu'un fluide le traversait et stoppait la démence de ses muscles. Isaac et Jacob se reculèrent avec effroi. On vit le regard d'Isaïe. Deux grands yeux pleins de larmes qui scrutaient l'enfer.

Le MaHaRaL l'attira doucement contre lui. Il le serra contre son lourd manteau et l'y enfouit tel l'enfant qu'il était redevenu. Inclinant la tête, il lui chuchota des mots inaudibles pour nous. Les sanglots d'Isaïe devinrent un souffle lourd, une houle d'effroi qui s'apaisa.

Puis notre Maître écarta les bras, Isaïe chancela, ses yeux hagards rivés sur le visage du MaHaRaL, qui dit avec douceur :

— Le temps, Isaïe. N'oublie jamais. Le chemin est fait de temps, et l'étincelle du Divin est le feu de la patience. Ne préjuge pas de ce qui n'est pas accompli.

Cette fois, tout le monde entendit, et sans doute le MaHaRaL le voulut-il ainsi.

Jacob ôta sa cape pour en recouvrir son fils. Avec l'aide d'Isaac, il le poussa vers l'autre bout de la rue. On les regarda disparaître dans la nuit blanchie de gros flocons.

Cette scène hanta les esprits de la ville pendant des mois.

Il est possible que plus d'un, en silence, se demanda s'il n'y avait pas un peu de vérité dans les cris d'Isaïe. L'affection de notre Maître pour sa petite-fille avait-elle passé les bornes ? Lui qui avait souri à ses caprices et à ses insubordinations. Qui avait voulu lui donner une éducation d'homme au lieu de la conforter dans sa place et son rôle. De bien des manières, Éva était son fruit. Se pouvait-il que le Haut Rabbi Lœw eût commis une faute ?

Une question que nul n'osait vraiment se poser. Et chacun, avec autant d'espoir que d'angoisse, songeait aux mots qu'il avait adressés au fils de Jacob et que nous prenions pour nous-même : « Ne préjuge pas de ce qui n'est pas accompli. »

Aussi, le temps passa. Presque une année. Un peu étrangement, comme si le monde retenait son souffle. Une année pendant laquelle Isaac ne reçut aucune nouvelle d'Éva. De temps à autre, le nom de Bachrach surgissait dans la conversation d'un commerçant. Les oreilles se dressaient mais les questions mouraient sur les lèvres.

Le temps faisait son œuvre, émoussant les douleurs les plus vives. Les esprits eurent de quoi se divertir et se réjouir. La paix demeurait sur Prague et l'opulence brillait sur la Bohême. L'Empereur continuait de se montrer l'ami des Juifs. Il entretenait une correspondance assidue avec le MaHaRaL.

Le chambellan s'en faisait le messager et par lui nous apprîmes que Tycho Brahé avait enfin accepté le poste de Mathematicus de l'empire. À une condition extravagante. Sa dispute avec le Danemark était consommée, et si dramatiquement que le palais que j'avais vu sur Venusia avait été partiellement détruit. Brahé en avait fait parvenir les plans à Prague afin qu'il y soit reconstruit. L'empereur Rodolphe avait donné son accord et se montrait si impatient qu'il ordonna le début des travaux alors que les neiges étaient à peine fondues. Tycho Brahé, accompagné des machines qu'il avait pu sauver de l'Uraniborg, annonçait sa venue avant la fin de l'automne afin de surveiller les progrès de son nouveau Palais des Étoiles.

Mais il y eut d'autres nouvelles, plus sombres. Dans le Nord, en pays de Flandre et d'Allemagne, les guerres entre luthériens et catholiques avaient recommencé avec une violence sauvage. Et ainsi qu'il en allait depuis des temps immémoriaux, le goût du sang et du carnage finissait par prendre les Juifs comme cible. À Munsbourg, Coblence ou Bonn, les survivants des massacres avaient été chassés des villes et des États. Des lois avaient été dictées pour que les villes juives soient détruites et ne puissent renaître.

Chez nous, à Prague, et malgré la bonhomie de l'Empereur à notre égard, la vieille peur, qui ne dormait jamais

142

qu'à demi, revint dans les cœurs. Elle courait dans les chuchotements à la sortie de la synagogue. Les uns quêtaient les signes d'une bonne nouvelle, d'autres ressassaient les mauvaises.

En ces jours d'incertitude, Isaac posa la main sur mon bras.

— David, j'ai reçu une lettre...

Il le dit dans un souffle, et si ces mots ne me confiaient pas le contenu de cette lettre, ses yeux me le révélaient. D'un coup, il me faut bien l'admettre, tous les efforts que j'avais accomplis pour oublier se déchirèrent comme une soie trop fine. Le nom et même le visage d'Éva dansèrent dans ma poitrine.

Isaac le devina et approuva d'un signe.

Il y eut du mouvement autour de nous. Sans cesser son chuchotement, Isaac ajouta :

— Allons à la maison.

Je dus avoir un mouvement de recul, un refus dans le regard. Isaac serra mon bras. Il y avait sur ses traits une tristesse, un appel que je ne pouvais ignorer.

Je retrouvai la petite pièce où, bien des années auparavant, j'avais pour la première fois donné des leçons de mathématiques à Éva. En montant l'escalier jusqu'à l'étage, je croisai Vögele. Je lus la même supplique dans son regard. Je me préparai à ce qu'on allait me demander. Je le devinai. Il ne fallait pas que j'accepte.

Isaac tira de sous son manteau une lettre minutieusement pliée et dont le cachet était brisé en petits morceaux. Je fus surpris de ne pas reconnaître l'écriture d'Éva.

Isaac sourit tristement.

— Ce n'est pas elle qui a écrit. C'est lui, ce Bachrach de Worms.

Il posa la lettre sur la table et la poussa vers moi. Je lui fis signe que je ne voulais pas la lire. Il ne la reprit pas, il la regarda et dit :

143

— Il écrit qu'ils sont époux et femme devant Dieu. Un rabbi les a mariés il y a dix mois, dès leur arrivée à Worms. Il demande notre pardon. Il est poli. Il dit tout ce qu'il faut dire.

Isaac haussa les épaules comme si cela n'avait plus grande importance. Puis il releva les yeux.

— Ce qu'il ne dit pas, c'est la véritable raison de cette lettre.

Et comme il n'en parlait pas lui non plus, je fronçai le sourcil et demandai dans un souffle :

— Éva est malade ?

Il n'eut pas le temps de me répondre. La porte dans mon dos s'ouvrit, Vögele entra. Elle avait pleuré, mais son visage, où les rides dessinaient la tristesse, était ferme.

— J'en suis sûre. Je le sens là depuis Pessah !

Elle se frappa la poitrine. Elle avait dû écouter derrière la porte, n'en pouvant plus de contenir sa douleur.

— Dès que j'ai commencé le grand nettoyage de la maison, au lendemain de Pourim, c'est venu, reprit-elle sans tenir compte des signes d'Isaac l'exhortant à s'apaiser. Juste un sentiment, une impression. Comme si les poussières m'infestaient le ventre. D'abord, j'ai pensé qu'il n'y avait rien de plus normal, après ce qu'il s'était passé. Mais plus je continuais, plus les poussières m'empêchaient de respirer. Je n'ai pas osé en parler à Isaac. J'en ai parlé avec ma mère. Elle m'a dit : « Moi aussi, je respire la poussière de ta fille. Celle de sa souffrance. » On a frotté nos maisons comme des folles. Quand tout a été propre, les parquets cirés, les armoires rangées, les tapis battus, les vêtements nettoyés et la cuisine sans plus un grain de vieux levain, j'ai commencé à faire des rêves. J'ai vu mon Éva. Elle était belle, vraiment belle, mais elle parlait avec une voix d'homme et elle prononçait des paroles épouvantables. Le rêve est revenu, deux, trois fois. J'en ai parlé

144

à ma mère. Elle m'a dit : « Ma petite-fille se bat contre un dibbouq, et cela fait tant de bruit dans l'univers que tu l'entends. » Aujourd'hui, elle est persuadée que la chaîne des malheurs est tirée et qu'il est trop tard. Mais ma mère est vieille et moi je veux venir en aide à Éva.

Les larmes étaient réapparues au bord de ses paupières. Elle s'assit. Ses doigts frôlèrent les miens.

Isaac prononça les mots que j'attendais :

— Nous voudrions que tu ailles la voir. Là-bas, à Worms. La voir et la ramener à la maison si tu le peux.

Je fis comme si j'étais surpris :

— Moi ?

— S'il y en a un qui le peut, c'est toi.

— Pourquoi ? Parce que je sais voyager ?

D'un ton mauvais. Ils me demandaient de réaliser ce que précisément je m'étais, au prix de beaucoup d'efforts, de beaucoup de douleur, interdit d'accomplir depuis la fuite d'Éva.

Combien de fois avais-je prié pour avoir la force de refuser cette tentation ? Courir après Éva, la raisonner, l'arracher aux mains de l'homme qui l'emportait... Ma raison n'y voyait que folie. Ce serait inutile. Éva avait choisi. Nous la savions aussi forte qu'entêtée à porter le poids de ses décisions, quelles qu'elles fussent. Et puis « Ne préjuge pas de ce qui n'est pas accompli », avait dit le MaHaRaL.

Cependant, la confusion nous rongeait. Elle brouillait les bornes entre nos devoirs, nos peurs et nos désirs. Et tous nous devinions que la pierre lancée par la fuite d'Éva et la promesse brisée n'était pas encore retombée. Tous nous redoutions le moment de sa chute. Tous, Isaac, Vögele, Jacob et son fils, nous désirions influer sur sa course.

Et puis, pourquoi ne pas l'avouer. Je venais d'entendre qu'Éva avait pris ce Bachrach pour époux. Le subtil poison de la jalousie titillait mes entrailles, quand bien même je ne voulais rien en laisser paraître.

Mais, en cet instant, le regard acéré de Vögele lisait dans mon cœur et dans mon esprit comme dans un livre grand ouvert devant elle.

Je dis encore :

— Quel bien cela fera-t-il, si elle ne veut pas m'écouter ? Vous n'en serez que plus malheureux. Ce sera vraiment comme si vous la perdiez pour toujours.

Isaac secoua la tête et répondit tout bas :

— Nous t'en supplions, David, du fond du cœur et devant tous les châtiments de l'Éternel. Vögele et moi, nous t'en supplions. Notre Maître le MaHaRaL aussi est d'avis que tu ailles à Worms. Ramène notre fille à la maison. Fais-lui franchir notre seuil. Et à son époux aussi, s'il le veut. L'ordre doit revenir, David.

Je fermai les paupières, passai la main sur mon front moite.

Quand je rouvris les yeux, Vögele me fixait. Elle dit :

— Éva t'écoutera. Elle t'écoutera, car elle sait que tu l'aimes d'un cœur pur.

4.

Ainsi, me rendis-je à Worms.

Le trajet, qui n'aurait pas dû excéder une semaine, dura trois fois plus. Je partis avec des marchands coutumiers de la route. Nous dûmes effectuer un grand détour pour éviter Bamberg et Würzburg, d'où nous parvinrent des rumeurs de violences entre catholiques et luthériens.

Nous approchâmes enfin de Worms au milieu d'un jour venteux où le soleil n'apparaissait que dans les brèves déchirures d'un continuel défilé de nuages.

J'avais eu tout le temps de me représenter le moment où je ferais enfin face à Éva et à son époux. Les cahots du chemin et la lenteur des mules m'avaient permis de trouver les mots, le comportement qu'il me faudrait adopter. Hélas, aussitôt franchie la porte de la ville juive, mon imagination me parut bien faible devant la réalité qui m'attendait. Je ne me résolus pas à aller frapper immédiatement à la porte de Samuel Bachrach. Plutôt que de demander mon chemin pour atteindre l'adresse qu'Isaac m'avait fournie, j'allai droit dans une synagogue.

J'y restai jusqu'à la prière du soir sans que cesse mon irrésolution ni ne se réveille mon courage. Mais alors que je passai dans une pièce d'étude, mes yeux glissèrent sur quelques mots de Job calligraphiés sur un parchemin disposé sur un mur :

147

Je le sais :
Tu peux tout,
Nul ne défait ce que Tu trames.
Qui suis-je pour masquer Tes desseins sans savoir ?
Quand je les discutais, je n'avais pas compris
Ces merveilles dont je ne sais rien. (42,1-3)

Se leva comme un chuchotement dans ma poitrine. La volonté me vint. Et même une sorte d'impatience. Il était cependant trop tard pour aller frapper chez Bachrach. Je trouvai un lieu pour dormir et, à l'aube, alors que la vie du jour prenait son élan, je me présentai devant sa maison.

Elle était telle que je l'avais imaginée : la meilleure de la rue. Celle d'un homme riche. Un serviteur en caftan de velours m'ouvrit, s'enquit de mon nom et de ma provenance.

Quand je dis Prague, l'expression de l'homme changea. Il me fit passer dans une pièce étroite, confortable et gracieuse, dont les fenêtres donnaient sur la rue. Bachrach devait y faire patienter ses connaissances d'affaires. Il fut là presque aussitôt, lança mon nom avant que je me retourne :

— David Gans ! Comme je suis content de vous voir.

Son ton de sincérité me frappa tout autant que son apparence. Un homme aux cheveux blonds et frisés, les traits fins, la peau laiteuse et fraîche. Malgré son âge qui valait bien le mien, il arborait un visage de jeunesse et me dominait d'une demi-tête. En tout un bel homme qui ne possédait en rien l'arrogance des riches.

Une sympathie inattendue éclaira son sourire. Mon salut resta pourtant ce qu'il devait être : plein d'embarras. Il ne s'y attarda pas, me répondit comme si l'on se connaissait déjà. Il n'eût pas mieux traité un vieil ami dont il aurait attendu la visite avec impatience.

148

Il me conduisit à l'étage, dans une pièce où brûlait un feu, où la soie des fauteuils, le brillant des bois et le velouté des lambris me stupéfièrent. Chez un Juif, jamais je n'en avais vu d'aussi raffinés. Tandis qu'il donnait des ordres pour qu'on apportât à boire et à manger, je contemplai avec ahurissement la splendeur des tentures qui couvraient les murs et où l'on voyait Moïse fuyant l'Égypte.

Bachrach devina mon émerveillement naïf. Il sourit et s'abstint de le commenter. Son sourire s'estompa vite derrière une ombre soucieuse. Il m'annonça très simplement :

— Éva dort encore. Je n'ai pas eu le courage de la réveiller. Hélas, elle passe de mauvaises nuits. Cependant, je sais qu'elle sera heureuse de vous voir.

— Je ne suis pas venu ici en mon nom, mais envoyé par Isaac et Vögele.

— Bien sûr.

La franchise de son regard me désarma. Il ne fallait pas se fier à son apparence juvénile. C'était un homme qui traitait des affaires où l'on ne s'embarrassait pas de scrupules. Son opulence était la preuve qu'il savait déjouer les mensonges et les faux-semblants. Les miens étaient trop évidents.

Il attendit que les serviteurs eussent refermé la porte en nous laissant seuls pour reprendre la parole :

— J'ai prié pour qu'Isaac donne une réponse à ma lettre et que cette réponse, ce soit vous.

— Comment...

— Éva m'en a appris assez pour que je puisse me fier à vous comme à personne d'autre.

Je le regardai verser le bouillon épais mouillé de bière dans nos bols. Du bout des lèvres, j'avouai :

— Je ne comprends pas.

— Il me faut sauver Éva. Et j'ai besoin de vous.

— La sauver ? Et de quoi, Dieu Tout-Puissant ?

149

— De Lui, peut-être. D'elle, certainement.

Et Bachrach me raconta sa rencontre avec Éva, leur fuite de Prague et ce qui en avait résulté. Il se confiait sans détour, alors que nous ne nous connaissions pas d'une heure. Son ton, ses expressions étaient ceux d'un homme qui livre le plus cher et le plus secret de sa vie à son seul ami.

La première fois qu'il était entré dans la maison d'Isaac, me dit-il, il avait été sur-le-champ subjugué autant par la beauté que par la force de caractère et l'intelligence d'Éva. Il n'avait été besoin que de quelques visites supplémentaires pour que cette fascination se mue en un amour qui le saisit en entier. Il n'était pas né du printemps. Il avait déjà éprouvé pour une femme le ravissement qu'un homme peut attendre de l'amour partagé. Cette épouse était morte sans lui laisser d'enfant ni le goût de s'accorder une nouvelle idylle. Et là, soudain, devant cette si jeune femme, il ne lui avait fallu que quelques heures pour comprendre que sa vie, par la volonté du Tout-Puissant, renaissait.

— Pourtant, je n'avais que de bonnes raisons de sceller mes yeux et mon cœur, David. Avec mes vingt-cinq années de plus qu'elle, la sagesse aurait dû me détourner de sa jeunesse. Et puis, vous pouvez imaginer que je m'étais renseigné. À notre troisième rencontre, je savais tout de la promesse entre Isaac et Jacob. J'aurais dû régler mes affaires et partir. Voilà ce qu'il fallait faire.

Et qu'il n'avait pas fait.

Bien au contraire, il était devenu un visiteur assidu de la maison d'Isaac. Il y avait apporté des présents, un goût de fête et de luxe. Et beaucoup d'attention. La défiance d'Éva s'était amollie, son rire avait jailli plus souvent et plus fort. Un jour, elle lui avait confié son tourment. La perspective d'épouser Isaïe lui déchirait les entrailles. Elle ne parvenait pas à s'y résoudre.

— Elle tremblait de la tête aux pieds quand elle en parlait. Pendant des jours, elle n'a cessé de me répéter que ce serait un péché pire qu'un mensonge que d'accomplir cette promesse. Une souillure à la face du Saint Nom. Rien d'elle n'était fait pour s'allier avec le fils de Jacob, sinon la volonté de leurs pères qui n'avait jamais été autre chose qu'un jeu. Et je ne pouvais être qu'en accord avec ce jugement. Si bien que lorsqu'elle me dit : « Ce mariage n'aura pas lieu. Je m'en irai de Prague avant », je n'ai pas été surpris. Néanmoins, j'ai tenté de lui montrer à quel point ce serait marquer le restant de ses jours. Je lui ai décrit un avenir de ténèbres, lui ai fait envisager d'autres solutions. Ne pouvait-elle convaincre son père, au moins, de lever cette absurde promesse? « Non, mon père n'entendra rien. Il a fait cette promesse et, aujourd'hui, il voit le jugement de Dieu dans son accomplissement. » Et son grand-père, le MaHaRaL qu'elle adorait tant, ne pouvait-il lui venir en aide? Elle secoua la tête sans un mot. Tout de même, insistai-je encore, n'avait-elle pas d'amis qui pourraient parler en sa faveur? Sa mère ou sa grand-mère ne pouvaient-elles la conseiller ? Elle rit : « Elles ne se battent pas au-delà du seuil de leur cuisine. Elles obéissent en tout à leur époux, depuis trop longtemps. Mon goût d'exprimer ce que je pense aussi bien qu'un homme les effraye. Elles ne sont pas les dernières à me faire taire. » Ensuite elle a prononcé votre nom, David. Elle a dit : « Lui, il pourrait. Mais il ne le fera pas. Non par lâcheté. Parce que nous nous aimons et qu'entre nous l'amour ne peut être qu'un secret. Je le sais, ce serait pour lui la pire des fautes que de m'écarter d'Isaïe. »

Là, Bachrach se tut, quoique sans détourner son regard de mon visage.

Le Saint-béni-soit-Il me pardonne. Comme il est difficile, lecteur, de décrire les émotions qui vous transpercent en un pareil instant! Pourtant, j'ai eu, plus que tout homme, le pouvoir d'y songer et resonger.

Mais c'est toujours la même confusion qui me revient et me bouleverse. L'effroi d'une joie, d'un bonheur sans pareil. Un bonheur aussi fulgurant que la découverte d'une étoile. La conscience qu'enfin est accompli ce pour quoi nous vivons : nous aimons, et cet amour est reconnu. Et aussitôt la honte. La conscience de ma faiblesse devant la profondeur de cet aveu. Éva disait vrai. Cet amour ne devait pas même être murmuré.

Alors, dans le temps où naît le bonheur, la douleur vous déchire de haut en bas. Le brasier du remords consume tout : que vaut l'amour qui ne peut s'accomplir? Où mène-t-il, sinon à l'abîme?

L'époux d'Éva sut deviner le chaos qui me secouait comme un fétu. Son regard s'adoucit. Il hocha la tête. Attendant que je m'apaise, il se détourna vers la cheminée pour y pousser de nouvelles bûches. Je récupérai assez de conscience pour me convaincre qu'il avait dû lui-même faire l'expérience d'un pareil tourment. Ou peut-être pire.

Quand il se rassit devant la table supportant nos bols intacts et refroidis, Bachrach eut un geste de lassitude. Un geste surprenant chez un homme si plein d'énergie et de détermination. La tristesse, à présent, noyait ses yeux.

— C'est ainsi, David, que je lui ai proposé mon aide pour sa fuite. On pourrait dire que j'ai profité de sa faiblesse. Je savais qu'elle l'accepterait, immédiatement et à n'importe quelle condition. Que Dieu me pardonne cette comparaison : c'était un peu comme dans le commerce, quand on sait qu'une affaire va se conclure car l'autre, en face, éprouve trop la nécessité d'acquiescer à ce qu'on lui propose.

Il ferma les paupières pour ajouter :

— Éva était faible de toute sa jeunesse et moi fort de tout mon âge.

Bachrach avait donc organisé le départ, ce qui n'était pas difficile. Il quittait Prague pour Worms avec quatre voitures de draps et de toiles de Bohême. Un chargement qu'il revendrait en Hollande. Notre bourgmestre, le riche Mordechaï Maisel, était pour partie dans ce commerce. Une cinquantaine d'hommes en armes assuraient la sécurité du convoi. Éva s'était sans peine dissimulée parmi les servantes pour franchir les portes de notre ville.

— Quand nous fûmes parvenus ici, conclut Bachrach, nous sommes allés sans attendre à la synagogue demander le mariage, afin de ne pas vivre dans la faute.

Pour la première fois, il eut une hésitation.

— Ainsi, vous devez le comprendre : Éva ne m'a pas suivi par amour. Elle voulait seulement fuir la folie de cette promesse

— Et de quoi vous faut-il la sauver aujourd'hui ?

— Du dibbouq. Cela fait des mois que le dibbouq m'a prise, David !

Je sursautai si fort que je renversai la petite table devant moi. Ce n'était pas Bachrach qui m'avait répondu, mais la voix d'Éva.

Bachrach et moi fûmes debout. Elle se tenait sur le seuil d'une porte s'ouvrant dans les tentures et que je n'avais pas devinée. Durant un bref instant, il me sembla qu'elle appartenait aux personnages qui entouraient Moïse dans sa fuite d'Égypte. Elle en avait la pâleur de visage, le corps maigre dissimulé dans une longue robe, à peine pincée sous la poitrine et dont le velours vert formait des plis aux reflets d'un gris soyeux. Des cernes profonds creusaient son regard. Des yeux lointains, tout à la fois agités par l'éclat provocant de sa détermination et la flamme fiévreuse d'une détresse si intense que ma gorge se ferma à tous les mots que j'aurais voulu prononcer.

Elle s'avança pourtant avec grâce, d'un pas qui paraissait avoir acquis un balancement nouveau, comme si, d'aller et venir dans cette maison princière, elle avait conquis une aisance désinvolte.

Elle tendit la main droite à Bachrach, qui la baisa avec tendresse. Puis nous fûmes face à face.

Je me sus incapable d'un geste comme je l'étais d'une parole. De près, la pâleur d'Éva témoignait de son épuisement. Je me souvins des premières paroles de Bachrach : « Elle passe de mauvaises nuits... » Oui, elle avait les lèvres transparentes, les tempes rosies de fièvre et sa peau si fine se lustrait sur les pommettes d'une lueur maladive.

Je secouai involontairement la tête, comme on le fait devant ce qui nous désole. Un mouvement qu'elle comprit aussitôt. Les larmes envahirent ses yeux. Elle murmura mon nom. Deux fois. Comme on appelle dans la prière. Et d'un coup je la reçus contre moi.

Elle noua ses bras autour de mon cou, y suspendit son corps qui ne pesait rien. Je fermai les yeux, pris de vertige, et je crus m'effondrer sous son élan. Je l'enlaçai et la soutins. Son souffle brûlait mon cou, le mouillait de sanglots silencieux. Je mis quelques secondes à comprendre que ce tremblement saccadé qui me frappait le ventre et la poitrine venait d'elle. Il traversait les lourds tissus aussi aisément qu'un fin coton. C'étaient là les spasmes d'une terreur absolue.

Je rouvris les paupières. Bachrach nous avait tourné le dos et regardait par la fenêtre. Je voulus repousser doucement Éva. Elle s'écarta d'elle-même, d'un bond, saisie par la même violence avec laquelle elle m'avait enlacé.

Elle jeta un coup d'œil vers Bachrach avant de me dire :

— Le dibbouq m'emporte toutes les nuits, David. Je n'ose plus fermer les yeux. Je crois dormir et il vient en moi. Il m'agite comme une poupée. Je parle, mais ma voix

154

n'est plus la mienne. C'est celle d'un homme. Samuel en devient fou. C'est lui qui entend tout, car moi, après, je ne me souviens de rien.

— Un homme?

— Oui, une voix d'homme qui dit des choses dans une langue que j'ignore. Ou peut-être les dit-il de manière qu'on ne puisse comprendre. Maintenant, quand vient la nuit, je marche dans toutes les pièces de la maison pour que le sommeil ne me rattrape pas. Mais il arrive toujours un moment où je m'épuise. Alors le dibbouq s'empare de moi, et ça recommence...

Elle se tut. Adressa encore un regard à son époux. Le visage extraordinairement adouci par l'amour, Bachrach ouvrit les bras pour la recevoir. Mais au lieu de s'y jeter elle eut un geste étrange. Elle saisit les mains qui se tendaient vers elle pour y enfouir son visage tourmenté.

Elle tomba à ses genoux. Son murmure traversa ses paumes :

— Pardon, pardon ! Pardon, ô mon époux !

Bachrach fit l'effort de sourire et de la relever.

— Le Tout-Puissant m'en est témoin : tu n'as pas besoin de mon pardon. Jamais tu n'as commis de faute envers moi.

Éva garda les mains de Bachrach entre les siennes, les pressa sur sa poitrine en même temps qu'elle se tournait vers moi.

— Samuel a fait tout son possible. Il m'a conduite devant tous les rabbis de Worms. On a pratiqué des exorcismes. Mais rien n'y fait. Le dibbouq me retrouve toujours et brûle mes nuits. Et si cela continue, je serai bientôt folle. Pourquoi ? Pourquoi, David ?

Son regard m'affronta comme si j'étais moi-même le tribunal réuni pour la juger. Il y eut un instant de silence, lourd et malaisé. Nous pensions tous les trois à la même chose.

Éva secoua la tête. D'une voix violente elle répondit aux mots qui n'avaient pas été prononcés :

— Non, fuir Prague n'était pas une faute. La promesse était une faute. C'est la promesse de mon père et de Jacob qui est la faute, tu le sais, David.

Je n'ignorais pas ce qu'il y avait de vrai dans ces mots, mais aussi ce qu'Éva ne voulait pas reconnaître. Je me décidai à parler :

— La désobéissance est toujours une faute.

— La désobéissance! À une folie? Qui pourrait épouser et aimer par obéissance? Ce ne serait pas humain. Comment un père peut-il aimer sa fille et vouloir qu'elle ait si peu d'existence? Si peu d'âme et de cœur qu'il puisse décider pour elle qui va entrer dans sa couche et son corps? Non, s'il y a là une faute, ce n'est pas la mienne.

Elle s'était exprimée avec dureté. Son visage montrait cette colère que je lui connaissais depuis toujours. Je sus que jamais elle ne plierait sur ce point. J'en étais étrangement heureux.

Bachrach l'enveloppa de son bras et la conduisit vers un fauteuil. Il me dit :

— Nous avons tout retourné, tout réfléchi. Nous avons été sincères avec les rabbis. En vain. J'en conclus qu'il nous faut retourner à Prague. C'est là-bas qu'Éva trouvera la force de lutter contre le dibbouq.

Elle avait fermé les yeux. L'épuisement creusait plus encore son visage que lorsqu'elle était entrée dans la pièce. Je prononçai sans hésiter les mots que Bachrach espérait entendre :

— Oui. Faute ou pas, elle doit venir à Prague. C'est là-bas qu'elle trouvera l'exorcisme. Et s'il en est un qui saura la libérer, c'est son grand-père, le MaHaRaL.

Éva se redressa, son regard mangea mon visage. Ses doigts qui serraient la main de Bachrach blanchirent.

— Et me pardonner, David? Grand-père rabbi me pardonnera-t-il? Tu le crois vraiment?

Elle guetta un signe d'hésitation ou de crainte dans ma réponse. J'eus une curieuse pensée. Une sorte d'intuition. Aujourd'hui, après tout ce temps, je songeai que, pour la première fois, tout ce que j'avais appris auprès de mon Maître me servait enfin, et qu'il en était temps.

Je lui souris et m'approchai du fauteuil où elle se tenait. Je m'adressai à elle autant qu'à Bachrach :

— Le MaHaRaL n'aura rien à te pardonner. Il n'est pas ton père. Cette promesse que tu as brisée n'est pas la sienne. Il t'aime et sait mieux que quiconque ce qui est en toi. Aujourd'hui, à Prague, quand il en est qui veulent te condamner, il leur dit : « Ne préjuge pas de ce qui n'est pas accompli. » Il l'a dit à Isaïe.

Éva secoua la tête.

— Lui, oui! Lui, je le fais souffrir...

— Isaïe souffre, cependant sa colère se lève moins contre toi que contre son père. Lui aussi a compris que cette promesse posée sur vos têtes était bien trop lourde.

Éva et Bachrach me scrutaient avidement. Je continuai :

— Vous vous trompez. Le dibbouq se joue de vous. Depuis le premier instant de votre fuite, vous vous jugez en faute. Pourtant, vous accomplissez ce qui vous semble le plus juste devant la face du Tout-Puissant. Dans vos décisions il n'y a que respect et amour. Le refus de l'humiliation et du mensonge...

— Mais il est là quand même! Toutes les nuits, David! Je retrouvai mon sourire.

— Oui, et ainsi il vous abuse. Il vous persuade que Dieu vous abandonne. Il se sert de votre douleur pour vous séparer de Lui. Pour que vous vous convainquiez que le Mal règne sur vous. Que la colère de l'Éternel vous abandonne aux tourments du démon. Mais ce n'est qu'une ruse de Malin. Il veut t'empêcher d'accomplir ce que tu dois accomplir.

Éva fronça les sourcils, me scruta sans bien me comprendre.

— Accomplir quoi ?

— Autre chose que de trouver un époux.

Je fis un signe à Bachrach pour qu'il ne se méprenne pas sur ma réponse, et ajoutai :

— Vous êtes mari et femme. Tout est juste et en ordre. La promesse n'était pas la tienne. Elle n'était pas celle d'Isaïe. Qui doit accomplir une promesse qu'il n'a pas faite ? Où est la faute ? Non. Le dibbouq n'est pas là pour vous punir. Il est là pour une autre cause. Une cause que tu n'apprendras qu'en revenant à Prague, auprès du MaHaRaL, Éva. Auprès de tous ceux qui t'aiment et qui n'ont jamais cessé de t'attendre.

LE GOLEM

1.

Lecteur, as-tu déjà eu conscience de n'être que l'instrument de la volonté divine?

Alors que tu lis ces lignes, quatre siècles se sont écoulés depuis ce printemps de l'an 5359, ou l'an 1599 du calendrier chrétien. Je vois tout. L'avant, l'après, les causes et les effets. Je vois comment nous nous sommes égarés et comment est advenu l'inouï.

Et je vois comment je suis devenu le véhicule ignorant et malléable d'un destin dont je ne savais encore rien. Au moins, le fus-je avec sincérité. Avec mon amour d'Éva, ma naïveté et mon désir d'apaiser les douleurs d'Éva autant que celles de Bachrach, cet époux que j'avais jalousé violemment et dont la détresse désormais m'émouvait comme celle d'un frère.

Crois bien, lecteur, que j'énonce cela sans vanité. Au contraire, ma faiblesse et mon ignorance sont éclatantes. Et s'il me faut errer aujourd'hui dans l'infinité du temps, prisonnier pour ainsi dire de l'immensité de la mémoire qui façonne le devenir de chaque jour naissant, en voici sans doute la cause.

Ainsi, j'avais convaincu Éva de revenir à Prague. J'en étais aussi heureux que fier. Bien qu'étant de la sorte qu'on

161

utilise dans les disputes des yeshivot, où l'on tourne et retourne les causes et les effets, mes arguments eurent le pouvoir de l'apaiser un peu.

Bachrach en montra un profond soulagement. Il me prodigua tous les signes de l'amitié. Il me témoigna un respect auquel mon orgueil fut sensible. Il m'invita à séjourner dans sa maison. Comme je venais d'arriver, il suggéra de fixer notre départ à la semaine suivante. Il en profiterait pour régler quelques affaires et organiser au mieux notre transport.

Un délai qu'Éva approuva. Elle nous assura qu'elle parviendrait peut-être à retrouver un peu de sommeil dans les nuits à venir, maintenant qu'elle pouvait, grâce à moi, songer différemment à l'œuvre que le dibbouq poursuivait en elle.

Mais au crépuscule du même jour, tout changea.

Je dormais dans la belle chambre où l'on m'avait installé, goûtant un sommeil profond, une paix et un repos qui ne m'avaient pas été accordés depuis des semaines, quand des coups violents firent vibrer ma porte.

— David! David, ouvrez! C'est moi, Samuel...

À la lumière des chandelles, le visage de Bachrach avait perdu toute sa légèreté et même de son assurance.

— Mauvaises nouvelles, gronda-t-il en allant droit à la fenêtre.

Il ouvrit les rideaux, poussa le volet. Dans la première ombre de la nuit, un rougeoiement aux éclats mouvants découpait les toits de la ville.

— Cela recommence, soupira Bachrach. Les troupes levées par Sigismond, l'évêque de Mayence, sont entrées dans la ville à midi et brûlent les maisons des Réformés.

— L'Éternel soit béni, cela ne concerne que les chrétiens.

Bachrach secoua la tête.

— Ce n'est qu'une affaire de temps. Il y a six mois, cela est déjà arrivé. Les luthériens voulaient détruire toutes les images peintes dans les églises, comme cela se faisait déjà dans les villes de Hollande. Les violences ont duré une semaine. Finalement, quelqu'un a crié que les Juifs étaient la cause de ce chaos. Vous connaissez l'histoire, elle n'a pas changé : nous empoisonnons le monde et semons le Mal avec les deniers de Judas ! Vingt familles de chez nous ont été massacrées avant que l'on puisse ramener le calme en versant deux mille écus d'or dans les caisses de la Réforme.

Il se tourna vers moi après avoir tiré les rideaux, comme s'il voulait effacer ce souvenir.

— Surtout, cette folie est mauvaise pour notre voyage. Ils vont fermer le pont. Que ce soit ceux du pape ou de Luther, voilà la première chose qu'ils feront demain.

Il n'avait pas besoin d'en dire davantage pour que je comprenne. Je revoyais ce grand pont de bois jeté au travers du Rhin et qui, pour ainsi dire, reliait l'est et l'ouest de l'Europe. Si l'on nous en interdisait le passage, il faudrait parcourir des lieues avant de trouver un bac. De surcroît, les eaux étaient grosses et traverser le fleuve pourrait nécessiter des jours d'attente. D'autres ponts existaient à Bâle. Mais là, les luthériens régnaient en maître sur la ville et l'avaient déclarée interdite aux Juifs. S'y présenter serait un suicide.

— Il nous faut partir cette nuit, conclut Bachrach. Juste avant l'aube. Quand les gardes seront fatigués et ivres de vin autant que de braillements et de sang. Et nous n'irons pas en convoi, seulement avec une voiture. Sans autre garde qu'un serviteur et un cocher.

Bachrach guetta ma réaction. J'avais assez voyagé pour savoir ce que cela signifiait. Un équipage léger nous permettrait sans doute de quitter plus facilement Worms,

163

mais, ensuite, la route jusqu'à Prague n'en serait que plus périlleuse. Cependant Bachrach avait raison, c'était un risque à prendre. J'opinai.

— Que le Saint-béni-soit-Il étende sa paume sur nous.

Ainsi fut fait. Une heure avant l'aube, on ouvrit les lourdes portes de la ville juive pour nous laisser passer. La voiture était imposante. Quatre chevaux bais étaient attelés au limon. Finalement Bachrach avait réclamé un deuxième serviteur. Des masses et des épées courtes avaient été soigneusement disposées dans des coffres derrière le siège du cocher. À l'intérieur, sous nos sièges rembourrés, Bachrach avait dissimulé deux paires de pistolets de Brunswick. Des armes à feu comme je n'en avais encore jamais vues. Elles pesaient cinq livres chacune. L'acier des canons, plus longs qu'une main, était finement damassé, les bois des crosses tant incrustés de fleurs de nacre et de filaments d'argent qu'on eût cru des bijoux.

Au premier coup d'œil, chacun devinait l'équipage d'un riche voyageur. Ce pouvait être un handicap autant qu'un atout, imposant la jalousie et attirant l'envie autant que le respect et la crainte. En outre, la solidité de la voiture, la puissance des chevaux avaient de quoi dissuader les rôdeurs qui infestaient les chemins.

Bachrach nous avait fait revêtir des vêtements de Gentils à la mode allemande. Pour la première fois de ma vie je portais une jaquette à rabats et un tricorne de bourgeois. Ma culotte n'était pas de drap noir, mais d'une soie d'un bleu éclatant et piquée de rubans jaunes. Au moment de monter dans la voiture, entouré par les torches des serviteurs, je devinai le sourire d'Éva à me voir ainsi accoutré. Plutôt que d'en être mal à l'aise, le bonheur que me procura ce sourire m'ôta la mauvaise conscience de me prêter à une telle mascarade.

Il ne me fallut pas longtemps pour me convaincre que Bachrach avait vu juste et s'était réservé des moyens de persuasion.

Nous fîmes un assez grand détour pour éviter l'intérieur de la ville et parvenir au pont comme des étrangers. De loin nous aperçûmes les torches éclairant son entrée. Nous redoutions une garde luthérienne plus que les hommes de l'évêque. L'Éternel nous soutint, que Sa gloire ne cesse jamais ! Les hommes qui s'affairaient à disposer un barrage portaient une plume blanche à leur casque et des mantelets avec la croix papale sur leur cuirasse.

Le cocher fit avancer les bêtes au petit pas afin que nous n'apparaissions en rien menaçants. Quand nous fûmes assez près, le visage de ces hommes confirma nos calculs. La violence de la nuit, les horreurs incessantes qu'ils avaient côtoyées creusaient leurs traits et voilaient leur regard. Ils n'étaient qu'une quinzaine, certains très vieux et d'autres encore imberbes. À la seule manière qu'ils avaient de porter leur lance on devinait leur épuisement et qu'ils n'aspiraient qu'au sommeil.

L'aube glissait à peine une blancheur dans le ciel de l'est. Des torches éclairaient de loin en loin le tablier du pont qui paraissait incroyablement long. Avant d'atteindre l'autre rive, il disparaissait dans la nuit ainsi que dans le fleuve, qu'on devinait au roulement continu de ses flots. Bien que nous soyons à l'approche des beaux jours, à cette heure-là il entraînait une humidité glaçante qui envahit la voiture dès que Bachrach eut ouvert la portière.

Il s'adressa aux gardes dans cet allemand qui ne se parlait que sur ces bords du Rhin. Je compris à peine quelques mots. Un homme se présenta à lui avec des manières de chef.

Bachrach parla encore. Il y eut des rires. Bachrach eut un geste du bras vers le chef des gardes, souleva son tricorne et salua avec autant d'aisance que s'il eût été dans un salon de Gentils. Il lança une ultime phrase. Un éclat de rire lui répondit alors qu'il remontait en voiture. Le cocher claqua du fouet comme la portière se refermait. Bachrach dénoua le ruban et la vitre glissa. Il passa la main en un dernier salut. Des gardes avaient déjà retiré la poutre qui barrait l'entrée du pont. Les sabots de l'attelage frappèrent les madriers de chêne. Puis les roues. Le pont trembla et se mit à résonner dans la nuit. Un vacarme abrutissant pénétra la voiture. Les torches défilèrent. La voiture prit de la vitesse. Nous ne prononçâmes pas un mot. Nous n'osâmes pas même nous regarder. La main droite d'Éva était dans celle de son époux.

Enfin Bachrach m'adressa un sourire amer et un signe de la tête. Le vacarme cessa brusquement. Nous ressentîmes le cahot des roues qui s'enfonçaient dans une ornière de la route. Le pont était derrière nous. Le cocher héla ses bêtes pour les mettre dans un trot rapide. Je risquai un coup d'œil au-dehors. Le pont s'éloignait, les gardes n'étaient plus que des silhouettes à peine visibles. Au nord, la fumée étouffait l'éclat des incendies. Les pointes de la cathédrale de Worms étaient bien visibles, mais lointaines. Nous étions hors de danger. Cela n'avait pris que quelques minutes.

— Que leur avez-vous dit qui les fasse tant rire? demandai-je à Bachrach d'une voix enrouée.

— Que Dieu les aiderait à beaucoup mieux séparer le bon grain de l'ivraie s'ils avaient la panse plus remplie et le gosier moins asséché par les cendres impies. Mais cela comptait moins que la jolie bourse que je leur ai donnée. Ils n'attendaient pas d'autre réponse aux questions qu'ils auraient pu poser.

166

Pour ce qui fut de la route et des menaces ordinaires, le reste du voyage se déroula sans aucun embarras. Il fut aussi d'une rapidité peu commune : à peine trois jours et demi. La cause n'en fut pas seulement le beau temps qui séchait les routes et ouvrait les premières fleurs de cerisiers et de pruniers dans les vergers.

À notre première halte dans une auberge, par crainte de la nourriture que l'on pouvait nous servir à la table commune, Bachrach commanda en cuisine une soupe, des volailles et des fruits. Toute une nourriture que les serviteurs tirèrent déjà à demi préparée des coffres de la voiture. Il réclama ce privilège avec l'arrogance maniaque d'un grand seigneur qui ne compte pas ses deniers. L'aubergiste lui céda en comptant les écus à venir. Les clients ricanèrent devant une scène trop bien connue pour être suspecte. Ainsi, nul ne songea un instant que nous étions des enfants de Sion. On put manger selon nos lois dans nos chambres tandis que les serviteurs, comme de coutume, s'arrangeaient avec la voiture et les écuries.

Ces chambres étaient mitoyennes. Par chance, je n'eus à partager la mienne avec personne, comme cela arrivait souvent. Cette disposition nous permit également de faire nos prières du soir sans trop de crainte d'être entendus. D'un sac de cuir, Bachrach tira une Torah contenue dans un gros livre latin, une traduction des pièces du grec Ménandre, qui avait été découpé pour secrètement contenir notre Livre.

Après la prière, nous nous couchâmes avec la hâte de la fatigue. Sans surprise, la cloison qui séparait les chambres était si fine que l'on pouvait s'entendre respirer les uns les autres. Néanmoins, ne laissant pas ma curiosité s'attarder aux chuchotements que je percevais, je m'endormis très vite.

Au cœur de la nuit une voix me dressa sur ma paillasse.

Je sortis du sommeil les yeux grands ouverts dans le noir. Non, autour de moi seul régnait le silence. Je songeai d'abord à l'illusion d'un rêve. Je m'apprêtai à me rallonger sous le duvet quand une voix d'homme, profonde et mécontente, lança :

— Dieu a fait ceci et cela, et toi tu ne sais pas séparer le ceci du cela !

Il y eut un mauvais ricanement. Un frisson de peur me parcourut l'échine. On eût cru que la voix appartenait à un homme tout près de moi.

La chair de poule me recouvrit. Je guettai le moindre souffle, la moindre présence dans le noir. Je n'osai pas faire un geste de peur que mes mains butent contre un corps.

Finalement, dans le silence revenu j'entendis un chuchotement. Une voix apaisante et connue. Celle de Bachrach. Je songeai à Éva.

Dieu Tout-Puissant, était-ce son dibbouq que je venais d'entendre ?

Je trouvai le courage de tâtonner près de ma couche pour atteindre la pierre de briquet et la chandelle. La flamme vacilla. Elle éclaira le vide de ma chambre, mais je manquais de lâcher mon bougeoir en entendant la voix me demander, cette fois dans la langue de nos ancêtres, l'araméen :

— Sais-tu où te conduit la *Guevourah* de Gauche, toi qui vas ici et là en te prenant pour une étoile ? Ah, ah, ah ! Tu n'es pas le surdoué que tu crois !

Et encore, à travers le frisson glacé qui me fit écarquiller les yeux sur ce que je ne voyais pas, je devinai les murmures patients et tendres de Bachrach !

C'était bien Éva prise par le dibbouq que j'entendais. Pourtant il me sembla, en cet instant, qu'il s'adressait à moi très directement, moi qui allais « ici et là en me prenant pour une étoile » !

Une pensée me foudroya. Un souvenir, plutôt. Le temps d'un éclair je revis ce rêve que j'avais eu au bord du lac de Gardone, après avoir été assommé par les bandits.

Sans réfléchir, je me précipitai hors de ma chambre et entrai sans frapper dans la leur. Le spectacle est gravé dans ma mémoire comme une marque de fer.

Le lit de bois étroit était repoussé dans un coin. Un baldaquin grossier en soutenait la tenture grande ouverte. Bachrach se tenait debout dans la ruelle, brandissant à bout de bras une menorah dont les sept chandelles brillaient. C'était bien suffisant pour éclairer l'épouvantable état d'Éva.

Recroquevillée dans une longue chemise, elle se pressait contre l'angle extrême de la couche comme si elle eût voulu disparaître dans les murs. Le gros tissu de lin dissimulait ses jambes repliées sous elle sans masquer leur tremblement affolé. Des spasmes qui se transmettaient jusqu'aux boiseries médiocres du lit. Les montants vibraient à leur tour, les jointures saisies d'un grincement lancinant.

Le visage d'Éva était méconnaissable. Malgré l'ocre que répandaient les flammes des chandelles, sa chair était de craie. Un halo d'encre noire cernait ses yeux, si agrandis qu'on ne les reconnaissait plus. Une lueur maladive animait ses pupilles, soudain éclatantes, puis l'instant suivant ternes comme la mort. Sa bouche se crispait sur ses mâchoires ainsi qu'elles le font sur des cadavres. Ses lèvres s'étaient retirées et dévoilaient le rose des gencives. Son souffle était aussi violent que si elle eût mené une course.

Avant que Bachrach se retourne vers moi, elle – ou plutôt ce démon qui l'habitait – devina que j'entrais dans la chambre. Les mains d'Éva se tendirent vers moi. Ses doigts se recroquevillèrent comme des griffes. Avec cette voix d'homme que je venais d'entendre, et dans cette langue qu'elle ne connaissait pas, je le savais, Éva éructa ses malédictions.

— Il a créé des méchants, Il a créé la géhenne ! Tout et son contraire, voilà ce qu'Il a fait ! Et toi, tu ne sais pas où tu vas. Toi, là ! Toi que je vois ! Ah, ah, ah !

Je ne m'étais pas trompé. C'était bien à moi que l'âme abominable du dibbouq s'adressait en déformant le corps tendre d'Éva. En un instant, une sorte de fièvre colérique me gagna. La sueur de la peur me mouillait la poitrine et les reins, cependant quelque chose en moi fut plus fort que cette peur.

Je m'approchai encore. Éva se tortilla abominablement. Ses dents claquaient, ses hanches frappaient le mur. La voix éructa :

— Pourquoi vas-tu à Droite ? Ton chemin est à Gauche. À Gauche, à Gauche ! Ignorant que tu es ! À Gauche, la grande Guevourah ! Émanation de l'obscurité, à Gauche !

Ce fut comme si ma gorge et mon cœur ne m'appartenaient plus. Ils répondirent à ma place :

— Jamais ! Tu entends, jamais. Droit à Droite nous irons. Droite et Droite, rien d'autre nous ne connaissons. Celle que tu maltraites est la chair de la Droite. Abandonne-la ! Abandonne-la, ou je vais t'entendre brûler sous la paume du Saint-béni-soit-Il !

Éva se dressa d'un coup. Ses mains se plaquèrent aux murs tandis qu'un gémissement d'animal sortait de sa poitrine. Un instant, ce fut comme si elle allait se jeter sur nous. Bachrach aussi bien que moi reculâmes. Puis les paupières d'Éva se refermèrent, effaçant son regard halluciné comme une eau glacée éteint des braises.

Ses poings se joignirent sur sa poitrine tandis qu'elle ployait le buste. Elle bascula sur la couche si brutalement qu'on crut qu'elle ne respirait plus. On se précipita. Bachrach la retourna, posa la main sur son sein, pressa sa joue contre ses lèvres.

170

Il se redressa, murmura :

— Elle respire.

Il me tendit la menorah pour prendre un linge et essuyer le visage de son épouse. Je me reculai pour qu'il puisse la glisser sous les draps et la recouvrir.

Le vrai visage d'Éva était revenu. C'était tout à fait stupéfiant. La bouche, les tempes, les joues, toute sa face avait repris sa beauté innocente. Les cernes avaient disparu sous ses paupières un peu gonflées, comme après des larmes.

Bachrach me dévisagea. Je compris à son expression que c'était moi, maintenant, qui devais avoir une drôle de face. Il me tendit le linge pour que j'essuie ma sueur glacée. Mes mains tremblaient.

Il me demanda :

— Qu'est-ce qu'*il* disait ? Quelle est cette langue avec laquelle il parlait ?

— La langue du Zohar. La langue du *Livre de la Splendeur*. Il ne peut pas faire un plus grand affront.

— Et pour dire quoi ?

Je ricanai.

— Pour avouer qui il est et d'où il vient. Une puanteur d'émanation de Gauche.

— De Gauche ? Je ne comprends pas.

J'hésitai, puis songeai que Bachrach avait mérité le droit de savoir.

— L'émanation de Gauche, c'est ainsi que se nomme le monde du Mal, dans le savoir de la Kabbale. Le rabbi Moïse de Burgos a dit : « L'émanation de Gauche est un monde complet. C'est le monde qui tourne le dos au Bien qui réside dans la Droite. Car le Nom, béni soit-Il, a fait ceci et cela. Il a fait en sorte qu'on Le craigne : Il a fait l'obscurité dans la lumière, et la durée qui détruit dans celle qui engendre. Mais tenez-vous sur vos gardes : l'émanation de Gauche est la poigne de la punition et le Mal veut en faire sa puissance pour éteindre le devenir. »

Bachrach me considérait à présent avec effroi. Devant nous Éva eut un soupir. Sans ouvrir les paupières, elle se tourna, se détendit comme si ses muscles contractés enfin se relâchaient. Je crus qu'elle allait se réveiller, mais non. Sa bouche s'amollit, son sommeil s'appesantit.

Je rendis la menorah à Bachrach avant de reculer pour rejoindre ma chambre. Avant d'atteindre le seuil, je lui dis encore :

— Aller à Droite, c'est aller à Prague. À Gauche, cela signifie revenir sur nos pas et céder à la peur. Le dibbouq n'aime pas que nous emmenions Éva auprès de son grand-père. C'est bon signe. À l'approche du MaHaRaL, il sent le danger qui le guette. Néanmoins, peut-être serait-il prudent, si cela est possible, d'y aller d'une traite. Sans plus s'arrêter la nuit dans des auberges. Il vaut mieux qu'Éva veille pendant deux nuits, jusqu'à l'épuisement s'il le faut, plutôt que de se faire reprendre à nouveau par le Malin. Elle risquera moins.

Le lendemain matin, une fois nos prières chuchotées, Bachrach alla régler son dû à l'aubergiste. Je me retrouvai seul avec Éva. Elle me prit les mains, les pressa contre ses lèvres avant de ployer le cou et de buter du front contre ma nuque.

— Samuel m'a raconté ce que tu as fait pour moi cette nuit.

— Je n'ai rien fait. C'est le MaHaRaL qui te libérera du dibbouq.

Son front roula contre mon épaule pour protester.

— Tu as fait quelque chose. Je me sens plus en paix ce matin que je ne l'ai été depuis des mois.

J'eus la faiblesse de la croire. Ainsi que je l'ai déjà dit, la vanité est un rapace aux ailes assez vastes pour obscurcir toute raison.

J'ai cru Éva, et nous sommes montés en voiture le sourire aux lèvres. Un sourire que Bachrach arborait aussi. Comme je le lui avais suggéré la veille, il a annoncé que nous rejoignions Prague sans un arrêt pour dormir.

— Nous changerons de chevaux aussi souvent que possible et nous prendrons le risque de rouler à la lanterne. Nous dormirons le jour par petits moments, à tour de rôle.

Le cocher et les serviteurs firent la grimace. Ils pensaient à la fatigue, à leur confort ou aux voleurs. Aux maux bénins de l'existence. Aucun de nous, moi le premier, n'eut la sagesse de penser que le Mal, lorsqu'il était en route, galoperait toujours plus vite et plus malignement que nos chevaux.

Éva s'illusionnait sur mes capacités. Face au monde de la Gauche, je n'étais qu'un fétu orgueilleux.

Nous avions franchi la Vltava sur un bac depuis une heure. Afin d'éviter les grandes portes de Prague, nous longions le fleuve sur un chemin étroit. Fréquenté par les chars à bœufs ou les mules, il était inconfortable et plus lent que la route ordinaire, mais il nous conduirait au pied de la ville juive.

Tout s'était bien passé depuis la mauvaise nuit de l'auberge et nous éprouvions cette légèreté de ceux qui se savent bientôt arrivés à bon port.

À deux ou trois parasanges de la ville, nous entendîmes le carillon de Prague qui sonnait abondamment. L'instant d'après, le cocher nous désigna des fumées. On les voyait s'élever au-dessus des arbres, là où des trouées perçaient la densité de la forêt. Cela ne ressemblait pas aux fumées des broussailles qu'embrasent les paysans. Il y en avait trop, et elles étaient d'un brun trop sombre. On fronça les sourcils sans rien dire, mais la légèreté nous quitta.

Ce n'est que lorsque nous atteignîmes les vergers au nord de Prague qu'on entendit l'écho des braillements. Alors que nous étions au fort du jour, les prés étaient vides, les charrois sans surveillance et les bêtes paissaient sans berger.

Je croisai le regard de Bachrach et d'Éva. Chacun songea à la même chose, pourtant nous nous tûmes. Les serviteurs aussi avaient compris. Le cocher s'inclina pour demander à Bachrach si l'on continuait.

— À bon train ! Mets les chevaux au galop et ne t'arrête que devant la porte Pinkas.

Il commanda aux deux serviteurs :

— Sortez vos armes des coffres, tenez les prêtes, mais sans les montrer.

Le cocher fouetta les bêtes, qui répondirent aussitôt. Bachrach tira les étuis des pistolets de sous nos sièges. Il m'en tendit un.

Les mèches lentes des pistolets étaient allumées et diffusaient leur fumée âcre dans la voiture quand les murs de la ville apparurent sur notre gauche. À droite, sur l'autre rive du fleuve, les jardins et les vergers au pied du château de l'empereur Rodolphe resplendissaient.

Malgré l'ordre de Bachrach, les chevaux ralentirent et se mirent au pas. La foule devant nous se pressait et vociférait. La vue de notre riche attelage fit diversion et les braillements s'apaisèrent. Les visages se tournèrent vers nous. Des hommes saisirent les brides des chevaux. La foule nous entourait, certains se haussaient pour examiner l'intérieur de la voiture.

Bachrach me fit signe de dissimuler les pistolets. Éva salua quelques femmes, qui lui répondirent avec des sourires. Bachrach dénoua le ruban qui retenait la vitre de la portière de droite. Elle glissa. Il s'inclina pour demander dans son allemand de Worms ce qu'il se passait.

Ils furent plusieurs à répondre. Malgré la confusion nous entendîmes ce que nous redoutions :

— Une Juive a été prise hier à jeter des fœtus pourris dans le puits devant l'église du Saint-Esprit !

Les vociférations recommencèrent. « Judas ! Judas ! Mort aux Juifs !... » Ils dressaient les poings et tout ce qu'ils avaient pu trouver comme armes. Des fourches, des piques à bœufs, des haches, des coutelas de chasse...

La peur nous glaçait le sang. Il était trop tard pour reculer et impossible d'avancer. Grâce à notre équipage et à nos vêtements, on nous prenait encore pour des chrétiens. Mais, saisis par la panique, à côté du cocher les serviteurs tirèrent les dagues des coffres. La foule gronda. On nous regarda différemment. Un bras se tendit, un index désigna Bachrach, une voix gueula :

— Je le connais, celui-là. C'est le Juif qui achète les toiles et les draps ! C'est un voleur !

De l'autre côté de la voiture, les femmes qui souriaient à Éva un instant plus tôt glapirent :

— C'est une Juive ! C'est une Juive !

L'une d'elles grimpa sur le marchepied pour essayer d'ouvrir la portière. Je me précipitai pour la maintenir close. Le nez collé à la vitre, la femme cria :

— Regardez ! On la reconnaît, celle-ci, c'est la fille du magicien !

La rumeur enfla : « À mort ! À mort, les Juifs ! Le Christ nous venge ! »

Éva se tassa au fond des sièges. Je montrai mon pistolet pour effrayer les femmes qui s'acharnaient sur la portière, mais à cet instant la voiture tangua. Des hurlements jaillirent. Éva gémit. Je me retournai.

Des hommes montés sur le marchepied avaient agrippé Bachrach à travers la vitre qu'il avait baissée. Accrochés à ses vêtements, ils tentaient de le tirer hors de la voiture. Ils

175

étaient parvenus à lui saisir les bras et on aurait cru qu'il voulaient les lui arracher. Bachrach criait le martyre. Je lâchai les pistolets et ceinturai sa taille pour le retenir. Dans mon dos, Éva s'arc-bouta sur l'autre portière, que les femmes avaient entrouverte.

Je gueulai au cocher de fouetter les bêtes. Bachrach geignit de douleur. Des hommes lui saisissaient la tête, lui arrachant les oreilles et les cheveux en s'y suspendant de tout leur poids. Son corps glissait inéluctablement entre mes bras. Sa taille se déchirait au cadre trop étroit de la fenêtre et des échardes de bois lui entraient dans les chairs. Ils devaient être maintenant une dizaine à s'égosiller en le tirant dehors comme une poupée de son. La portière tout entière se démantibulait sous leurs efforts.

Dans mon dos, la vitre de la portière que retenait Éva explosa. Une grosse pierre frappa mes reins, me déséquilibrant. Je relâchai ma prise sur Bachrach pour retrouver mon équilibre quand une seconde pierre me fit retomber sur le siège. J'éprouvai une douleur fulgurante à la jambe : un gros éclat de verre s'était fiché dans ma cuisse. Je lâchai Bachrach pour l'en retirer. Éva se protégeait dans une encoignure de la voiture, son épaule saignait. Les femmes ouvraient la portière en grand, des bras se tendaient pour s'emparer d'elle. J'empoignai les deux pistolets tombés sur les sièges. Je les déchargeai au jugé sur les assaillantes. Le vacarme fut assourdissant et le recul si violent que je crus m'être brisé les poignets.

Je retombai sur le côté en voyant les regards stupéfaits des femmes. Deux d'entre elles s'effondrèrent la bouche ouverte. La voiture bondit. Les chevaux hennirent. Affolés par les braillements et les coups de feu, ils se lancèrent en avant. Éva hurla le nom de son époux.

Je me retournai en même temps que résonnèrent le craquement de la portière et le cri de Bachrach. Le mari d'Éva bascula dans la foule des massacreurs, la taille ceinte par la portière. La voiture s'éloignait dans le galop des chevaux déments qui repoussaient les attaquants. Éva voulut se jeter dehors à l'aide de son époux. Ses hurlements me vrillèrent les tympans tandis que Bachrach était englouti dans le grouillement de ceux qui s'acharnaient sur lui. D'autres à nouveau s'agrippèrent à la voiture. Il y eut une clameur, la voiture tangua et l'un des serviteurs frappé d'une grosse pierre tomba du siège près du cocher. Je saisis l'un des deux pistolets encore chargé et tirai sur la poitrine la plus proche.

Éva hurlait toujours contre moi. J'empoignai le dernier pistolet quand le bruit de la foule changea. J'entendis des ordres, un tintinnabulement de chevaux d'armes. La foule s'écarta et la voiture ralentit. Une dizaine de gens d'armes apparurent derrière les portières arrachées. Mes coups de pistolets les avaient fait galoper jusqu'à nous.

Un homme qui devait être leur chef s'inclina pour nous découvrir. La robe d'Éva était couverte de sang, déchirée comme si elle avait traversé une meute de chiens enragés. Mes mains tremblaient et certainement mon visage était noir de poudre. Je claquais des dents. Le sang coulait encore de l'entaille de ma cuisse qui maintenant me faisait défaillir de douleur.

L'officier des gardes eut une grimace et leva les sourcils avec un peu de surprise.

— Je vous connais.

Je le reconnus à mon tour : il avait accompagné le chambellan de Rodolphe venu me voir au retour de ma mission.

Je lui dis :

— Sauvez-nous, je vous en prie. Accompagnez-nous jusqu'à la porte Pinkas. C'est la petite-fille du MaHaRaL que vous voyez là. On vient de massacrer son époux. Sauvez-nous, l'Empereur vous en remerciera.

2.

Il nous sauva.

La tension et la crainte étaient si grandes qu'il fallut que je m'annonce et même parlemente pour que s'ouvre la porte de la ville juive. Il y avait eu des massacres près de notre hôtel de ville tôt le matin et le feu avait pris aux entrepôts avant que les massacreurs soient repoussés.

Enfin nous parvînmes à l'abri. Vögele et Isaac se précipitèrent pour embrasser leur fille chérie. Son état et le sang qui nous couvrait les affolèrent. On nous soigna avec diligence, alors que l'on entendait encore les vociférations de l'autre côté des murs.

Hébétée depuis que Bachrach avait disparu dans la foule meurtrière, Éva se laissa soigner et changer sans un mot. Elle ne réagissait ni ne répondait aux questions. À mon grand étonnement, elle n'eut pas plus de réaction lorsque le MaHaRaL monta les escaliers pour venir la voir.

Dans une petite chambre où Vögele m'avait dressé un lit, on me lava et on nettoya mes blessures, appliquant un emplâtre sur ma cuisse profondément entaillée. Pendant tout ce temps, Isaac me posait mille questions et, malgré mon épuisement, j'essayai d'y répondre. Je racontai mon voyage et notre fuite de Worms, et comment Bachrach avait été emporté par la foule alors que nous approchions de la porte. Dans un dernier effort de conscience, je ne pus me résoudre à lui parler du dibbouq qui hantait sa fille. Je ne révélai rien de ce que m'avait confié Bachrach ni de ce que j'avais vu à l'auberge.

Cependant, plus je parlais, plus mon récit se faisait confus. La force et la fureur qui m'avaient soutenu jusqu'à ce que nous soyons en sûreté m'abandonnaient. L'horreur que nous venions de traverser m'engloutissait à nouveau. Je sentais encore dans mes mains la chaleur et les secousses désespérées du corps de Bachrach tandis que j'essayais de le retenir. Je revoyais les gueules hurlantes des massacreurs lui arrachant la tête.

Cette seule pensée et le souvenir de l'instant où il avait disparu sous la masse grouillante comme sous une meute de fauves affamés me firent claquer des dents. Il me semblait que j'aurais pu sauver l'époux d'Éva et qu'à cette faute s'ajoutait celle, très probable, d'avoir tué des femmes. Le remords m'envahissait, me scellait les yeux et la bouche avec des larmes de honte.

Mais fermer les paupières était pire que tout. Sans cesse je revoyais cet instant de folie dans la voiture, ce que je n'avais pas fait, ces femmes qui basculaient en gémissant, les autres qui voulaient happer Éva...

Ces souvenirs devinrent si intenses que je crois bien m'être mis à crier. Je découvris soudain le visage du MaHaRaL au-dessus de moi. Son grand et beau visage pâle au regard si profond me fut un coup au cœur. Comme si sa longue chevelure et cette barbe qui lui recouvrait la poitrine étaient des flammes froides. La terreur m'emporta. Je cherchais les yeux de mon Maître pour le supplier de nous épargner, Éva et moi, car maintenant je n'en doutais plus : le dibbouq allait me prendre moi aussi.

Je ne vis pas son regard en retour, car Vögele s'interposa entre nous. Elle me força à boire une tisane amère qui me brûla le gosier.

Je résistai quelques minutes, grelottant de frayeur autant que de froid, avant de sombrer dans un néant qui ne ressemblait pas au sommeil.

Je me réveillai au crépuscule.

Après quelques secondes d'égarement je me rappelai où j'étais. Je fus surpris par le silence qui régnait dans la maison comme à l'extérieur. On ne percevait plus rien des braillements. Tout semblait saisi par un silence pesant et presque aussi inquiétant que les cris.

Alors que je tentai de me mettre debout, la douleur dans ma cuisse me transperça. Je retombai sur le lit avec un gémissement. Je vis le bandage qui m'enveloppait la jambe et me souvins de tout. Je songeai à Éva, voulus tout de même me redresser. Une jeune servante me découvrit qui chancelait en m'appuyant sur une chaise. Elle appela à l'aide. Isaac accourut et me repoussa dans le lit.

— Non, David, non! Tu ne dois pas bouger ou ta plaie va se rouvrir. Elle n'est pas si belle que ça...

Je lui saisis le poignet.

— Éva?

— Elle dort.

Il eut un sourire, un incroyable sourire, et me tapota la main d'un geste rassurant.

— Elle dort comme un ange. Vögele lui a donné la même potion qu'à toi, mais elle dort comme si elle n'avait pas dormi depuis cent ans!

Je songeai à lui révéler que c'était presque vrai. Mais fermai les yeux en même temps que la bouche. La tête me tournait et la fièvre me fit à nouveau grelotter. Tout de même, il me restait assez de lucidité pour comprendre qu'Éva dormait donc sans que le dibbouq soit revenu la hanter. Dieu Tout-Puissant, que Son Nom soit béni dans l'Éternité, cela voulait-il signifier qu'il ne l'avait pas suivi dans l'« émanation de la Droite ». Ou, plus sûrement, avait-il trouvé sa pâture dans le massacre de Bachrach ?

Je priai dans le silence de ma poitrine pour que Dieu fasse dormir Éva aussi longtemps que possible, repoussant le désastre qui l'attendait à son réveil !

Isaac ne sachant encore rien, je crois bien qu'en cet instant j'aurais pu ne rien dire de la vérité. À quoi bon, si le dibbouq ne revenait plus ?

Mais, à ma grande surprise, le MaHaRaL se dressa sur le seuil de la pièce. Son regard alla droit sur moi, alors qu'Isaac se relevait de sa chaise. Notre Maître referma doucement la porte et moi, dans la simple manière qu'il eut d'accomplir ce geste, je compris qu'il savait.

Il s'installa sur le siège qu'Isaac venait de quitter et qui faisait face à mon lit. Il nous annonça avec calme que le chambellan venait de faire parvenir un message de l'Empereur au bourgmestre Maisel. Rodolphe y assurait que la garde impériale surveillerait les portes de la ville juive toute la nuit et tous les jours suivants afin d'éviter de nouvelles violences.

Isaac eut un grondement amer.

— L'empereur Rodolphe est bien bon avec nous. Mais c'est toujours la même chose, il faut que l'odeur des morts parvienne jusqu'aux fenêtres du château pour qu'il réagisse. Cela fait des semaines que l'on nous insulte dans ses églises. Et l'on sait bien, chaque fois, où cela nous conduit.

Le MaHaRaL le laissa parler, puis laissa le silence revenir. Ensuite il eut un petit mouvement de la main comme s'il faisait place nette de ce qui venait d'être dit et, sans me quitter des yeux, il annonça :

— Maintenant, écoutons David. Qu'il puisse enfin libérer les paroles qu'il retient et qui lui brûlent l'âme.

Bien sûr, il savait. Comment avais-je pu en douter ? Depuis qu'il avait posé les yeux sur moi, notre Maître avait tout deviné.

Alors je racontai sans rien cacher. Évitant la face effarée d'Isaac dont les yeux s'emplissaient de larmes, je ne masquai pas les horreurs qu'avait endurées Éva depuis des mois. Ni pourquoi nous avions galopé jusqu'à Prague, pour finalement y rencontrer le Mal que nous fuyions.

Quand je me tus, Isaac s'exclama :

— Mais c'est fini ! C'est fini ! Ce dibbouq est parti, Éva dort comme une enfant. Elle ne s'est pas réveillée, elle n'a pas parlé ! Ni avec sa voix ni avec aucune autre !

Je regardai le MaHaRaL. Ce n'était pas à moi de répondre. Comme toujours lorsqu'il plongeait en lui-même pour mieux voir ce qui nous était invisible, ses paupières voilèrent à demi ses yeux. Il demeura un long moment impassible, comme saisi d'un sommeil brutal. Ce fut à peine si sa respiration soulevait l'épaisseur des caftans sur sa poitrine.

Enfin, son regard se posa sur nous. Sans chercher à rassurer Isaac, il me demanda :

— Redis-moi ce qui s'est passé dans l'auberge, David. Chaque mot que tu as entendu et chaque chose que tu as vue. N'omets rien. Et dans la langue qu'il convient.

Une nouvelle fois je racontai cet instant d'épouvante. Le visage imperturbable du MaHaRaL ne m'était d'aucune aide. Quand j'en vins à la réponse que j'avais opposée à la voix du dibbouq, l'émanation de la Gauche et de la Droite, j'eus du mal à répéter mes mots, tant je craignais d'avoir mal répondu.

Mais, à ma surprise, le MaHaRaL posa sa belle main sur ma poitrine. Aussitôt sa chaleur m'emplit. Ce fut comme si sa paume chassait mes frissons de fièvre autant qu'un rayon de soleil.

— C'est bien, David. C'est bien. Nul n'aurait pu dire mieux et mieux faire. Ni moi, ni aucun autre. Je suis fier de voir que ce que j'ai pu t'enseigner n'est pas tombé dans le puits de l'inutilité.

Mon soulagement fut si intense, ma joie, oui, ma joie, si brûlante, que j'entendis à peine l'interrogation tremblante d'Isaac :

— Maintenant, que va-t-il se passer ?

Le MaHaRaL haussa ses longs sourcils.

— Qui peut connaître le jugement de l'Éternel ?

— Quand Éva se réveillera, il faudra…, insista Isaac.

— Il faudra qu'elle soit forte et qu'elle regarde de ses yeux ce qu'elle a accompli et que nul autre qu'elle ne pourra porter… Si tu dis vrai.

Le MaHaRaL suspendit ses mots. À nouveau ses paupières se baissèrent à demi. Sur un ton plus sec, il me demanda :

— Comment t'est venue cette pensée qu'Éva pouvait être un instrument du Saint Nom et que le Malin cherchait à la détourner de ce rôle ?

Je rougis jusqu'à la racine des cheveux. C'était bien la question que je craignais le plus.

— Pour être sincère, Maître, je l'ignore. Les mots sont montés à ma bouche sans que j'y réfléchisse. Et quand je les ai prononcés, la ruse du dibbouq me paraissait évidente. Depuis que j'ai entendu ce que j'ai entendu dans l'auberge, je le crois plus encore. Pourtant la vérité est que je ne sais pas de quoi je parle.

Le MaHaRaL opina. Je crus voir un éclat d'amusement sous sa barbe.

— Bachrach était un homme beau et bon, éprouvai-je le besoin d'ajouter. J'ai eu le temps de comprendre qu'il n'avait rien fait qui ne fût par amour. Et avec le plus grand courage, comme il l'a montré à la fin. Ce n'était pas un homme par qui les fautes adviennent.

184

Le MaHaRaL eut un très léger signe d'acquiescement.

— Il méritera que demain, dans le jour et sous la protection de la garde de l'Empereur, on aille rechercher... les morceaux de son corps.

— Les morceaux...

Isaac et moi avions poussé le même cri. Le MaHaRaL opina.

— Ils l'ont dépecé à la hache. Que le Saint-béni-soit-Il le reçoive auprès de Lui pour les générations à venir.

— Mais les chiens, les bêtes ?... Cette nuit ?...

Mon balbutiement ne méritait pas de réponse.

À nouveau, l'image de Bachrach englouti dans la foule éructant de haine et de joie à le dévorer me revint. Je devinai en cet instant qu'elle me hanterait toujours.

Et maintenant, lecteur, elle est devant moi, simple souvenir déposé sur le dessus de l'infinité des horreurs inoubliables qui n'ont cessé de s'empiler, formant à leur manière abominable une construction gigantesque, le plus démentiel des monuments élevés à la gloire des haines meurtrières de l'homme et toujours se dressant jusqu'à l'infini.

Et de nouveau je songeai à Éva qui trouverait ces nouvelles à son réveil. La perspective me glaça. Malgré moi, je dis à Isaac :

— Peut-être que, quand il apprendra tout ça, Isaïe pardonnera à Éva et saura enfin se rapprocher d'elle. Et Jacob aussi. Votre promesse est brisée, mais elle ne le sera jamais autant que peut l'être ta fille.

La tristesse ravagea le visage d'Isaac. Il se voila la face.

— Aïe, aïe aïe, David ! Jacob et son fils ont quitté Prague juste après ton départ pour Worms. Isaïe ne supportait plus d'être ici. Et quand je lui ai appris que tu étais allé chercher Éva, cela l'a encore plus effrayé. Il a décidé de rejoindre le rabbi Salomon à Safed, sur la terre sacrée, pour y suivre son enseignement nouveau sur la Kabbale. Jacob n'a pas eu le courage de laisser son fils affronter seul les risques du voyage.

Éva dormit durant trois jours. Cela inquiéta Vögele et Isaac mais me soulagea. Elle n'eut pas à piétiner dans l'horreur comme nous le fîmes au lendemain de notre arrivée.

Muni d'une béquille pour soulager la blessure de ma cuisse, je voulus aller avec les autres récolter les morceaux du corps de Bachrach.

Sous la protection des gardes de l'Empereur, il nous fallut plus d'une heure pour retrouver, dans les herbes bordant la Vltava, les membres éparpillés que les haches et les coutelas de chasse avaient découpés en petites parties. Leur dispersion était si vaste qu'on eût cru qu'une explosion de poudre avait soufflé Bachrach.

Le plus long fut de retrouver la tête. Elle avait été plantée sur une pique et jetée dans une fange où se vautraient des porcs à l'orée de la ville. Quand on découvrit son buste, ce fut pour s'apercevoir que les massacreurs en avaient arraché le cœur. Un cœur que l'on ne retrouva pas, pas plus que les doigts de Bachrach, tous découpés et jetés aux chiens avec ses viscères.

Une boucherie épouvantable à laquelle nous ne pouvions faire face sans vomir et pleurer. Ce qui avait été un homme finit par emplir le fond d'un sac de lin.

Ainsi, l'enterrement de Bachrach, béni soit son nom dans l'Éternité, put avoir lieu en même temps que celui de la cinquantaine de personnes qui avaient péri dans le massacre.

Éva ouvrit les yeux deux jours plus tard.

Son réveil fut étrange tant elle se montra calme.

On eût pu penser que, dans son long sommeil, elle avait tout su et tout compris. Elle ne prononça le nom de

Bachrach que pour demander où se trouvait la pierre de sa sépulture. Elle alla y prier et, dans les jours suivants, pria encore, longuement, assidûment, à la synagogue.

Envers ses parents, elle fut douce et silencieuse. Vögele et Isaac comprirent vite qu'elle ne répondrait pas aux questions qui leur brûlaient les lèvres. Moi, d'un regard je compris qu'elle ne souhaitait pas beaucoup me voir près d'elle.

Pendant des semaines elle entra dans le silence, s'y drapa et y demeura.

J'en fus moins étonné que les autres. La violence qui nous avait accueillis avait été si terrible qu'en quelques minutes elle semblait nous avoir usé les nerfs et durci le cœur d'une manière qui serait longue à apaiser.

D'ailleurs, à sa façon, notre ville juive était tout entière saisie par ce silence d'effroi, de rage et de recueillement tout à la fois. Les jours s'écoulaient, les gestes, les actes, les paroles, tout s'efforçait de reprendre l'apparence des heures ordinaires, mais chacun savait que cette mise en scène de l'orgueil n'effaçait aucune douleur ni aucune colère.

L'approche de Noël, qui depuis toujours était un moment où les curés diffusaient, depuis la chaire de leurs églises, de dures paroles envers les Juifs, laissait chacun sur ses gardes. Moi comme les autres.

Au cœur du mois de Tevet, j'appris que notre empereur Rodolphe allait enfin accueillir avec faste son nouveau Mathematicus, Tycho Brahé. Installé dans le château de Benateck, à une dizaine de parasanges de Prague. Les travaux du nouvel Uraniborg étaient achevés. L'observatoire des étoiles allait fonctionner dès la prochaine année.

La nouvelle me souffla un grand plaisir. J'oubliai Éva, Bachrach, les massacres. L'excitation de la science m'emporta. Mon premier mouvement fut de me rendre à Benateck, d'aller saluer le seigneur Brahé et peut-être même de lui offrir mes services. Tout un jour, joyeuse-ment, je m'y préparai et rassemblai les calculs nouveaux et les traductions qui, je le savais, plairaient à Tycho.

Pour la première fois depuis des semaines, je m'en-dormis ce soir-là sans songer à Éva et cependant en sou-riant.

Je me réveillai au cœur de la nuit, le souffle court, le cœur battant et le front en sueur. Je ne me souvins pas de mon rêve, mais ma bouche était aussi sèche qu'après une course. Aussitôt, les yeux dans le noir, je me vis traverser la ville et la campagne pour atteindre l'Uraniborg, ma toque à pointe qui proclamait à tous ma qualité de Juif enfoncée sur mon front. Le plaisir et le courage d'accom-plir ce qui n'était qu'une heure et demie de marche m'abandonnèrent.

Je me levai pour aller à la synagogue et prier. Mais la prière n'y changea rien. Le jour levé, je demeurai à mes études dans le klaus et rangeai ces papiers que j'aurais tant voulu montrer au seigneur Brahé.

3.

Maintenant que les choses peuvent se contempler comme un vaste paysage, je me rends compte que les semaines qui suivirent ne furent pas ordinaires.

Jusqu'à la fin du mois de Tevet et durant le début de celui de Chevat, il régna sur Prague ce calme trompeur et obscur où s'engendrent les tourmentes et l'inouï.

Sous le masque des jours ordinaires, la peur occupait les cœurs et la colère énervait les têtes. Plusieurs fois, le bourgmestre Maisel réunit autour de lui les plus sages. Le MaHaRaL en fut, bien sûr, ainsi qu'Isaac et quelques autres dont la voix était écoutée. Pour la centième fois des dispositions furent adoptées pour solidifier nos murs, nos portes, et aussi pour que l'on assure mieux la garde des rues comme la surveillance de l'humeur dans la ville chrétienne.

Pourtant tous savaient que ce n'était qu'une manière d'agitation sans grande vertu. Au cours de ces rencontres, le MaHaRaL demeurait parfaitement silencieux. Il pouvait arriver et repartir sans que quiconque eût entendu sa voix. Il se tenait les paupières aux trois quarts closes, sans un mouvement et avec un souffle si léger qu'on ne le percevait pas. Dans le klaus, c'était une habitude que nous connaissions bien. Elle ne manifestait que son intense attention et son écoute scrupuleuse. Néanmoins, dans la salle autour du bourgmestre, nombreux en furent déconcertés.

Des murmures commencèrent à se répandre. Comme il était prévisible, le scandale éclata par la voix de ce Zalman, le colporteur de Torah dont j'avais presque oublié l'existence et qui depuis toujours se répandait en insanités sur notre Maître. Avec ses manières de fou, une veille de shabbat, en pleine rue, il brandit le poing en direction du MaHaRaL qui regagnait sa maison et hurla :

— Le voilà, celui par qui le chaos entre dans la ville. Le voilà, celui qui excite les Gentils avec sa barbe et ses mystères !

Les passants, tout autour, se précipitèrent pour le réduire au silence, mais Zalman se défendit comme un diable.

— Le beau Haut Rabbi que nous avons ! Il est là, avec nous, et qu'est-ce qu'on y gagne ? Du désordre ! Du désordre ! Il est l'ami de Rodolphe. Et qu'est-ce qu'on y gagne ? Des massacres ! Où est la paix qu'il nous doit apporter ? Je ne la vois pas. Mais lui, je le vois dormir dans la salle du Conseil et courir dans les chambres secrètes de l'Empereur...

Et ainsi de suite. Avec tant de haine et de force que chacun était bien forcé d'écouter, songeant qu'il y avait un peu de vrai dans ces délires.

Que le MaHaRaL ait apporté la gloire des lettrés d'Europe dans notre ghetto de Prague, nul n'en doutait. Mais qu'il y avait apporté la paix et la sécurité, qui pouvait le jurer ?

Bien sûr, le MaHaRaL ne daigna pas répondre. Il n'eut pas même un regard pour Zalman. Sa haute silhouette s'éloigna comme si rien n'avait été prononcé.

Pourtant, de ce jour, qui devait être tout près de celui où les chrétiens célèbrent la naissance de leur Christ, plus

190

aucun de nous, au klaus, n'osait croiser son regard. La fureur y brûlait avec tant de puissance qu'on eût dit qu'elle allait calciner ses paupières.

Dans la ville, les murmures se firent plus insistants qui lui reprochaient de ne pas mettre tout son savoir au service de la paix et de la sûreté de nos jours.

Comme je l'ai dit, de tout ce temps, j'évitai Éva, et elle se tenait loin de moi. Nous en connaissions les raisons, sans avoir besoin de les exprimer.

Je savais qu'elle portait avec rigueur le deuil de son époux. Qu'on la voyait aussi souvent à la synagogue que devant la pierre tombale de Bachrach, dressée juste derrière le klaus. Isaac, quelques fois, l'ombre dans le regard, m'avait confié qu'il ne reconnaissait plus sa fille.

— C'est comme si ce sommeil qui l'avait saisie après votre terrible arrivée l'avait éteinte pour de bon. Plus de colère, plus de caprice ! Juste un visage plus clos qu'un coffre de banquier. C'est à peine si elle nous parle. Aïe, aïe, aïe, David ! Entre le MaHaRaL et elle, en voilà deux avec qui on ne sait plus comment se tenir !

Puis, la veille de l'an 5360 de la création du monde par le Saint-béni-soit-Il, en l'an 1600 du calendrier de Rome, je la trouvai devant la maison du cordonnier où j'avais toujours mon logement.

Son visage n'était plus fermé. La première chose que je vis fut la tendresse de ses yeux.

Elle me demanda avec une douceur qui me surprit tant elle était retenue, presque craintive :

— Puis-je monter dans ta chambre ?

Mon étonnement s'accrut et j'eus le réflexe de regarder autour de moi, comme si les passants pouvaient l'avoir entendue. Un éclair amusé passa sur le visage d'Éva et, une seconde, il me sembla la retrouver pour de bon.

— C'est seulement pour parler, David Et maintenant, je suis veuve. Tu ne risques rien.

Je rougis comme si j'avais encore vingt ans. L'instant d'après, dans ma petite chambre, en cherchant mon regard, elle me confia :

— Grand-père rabbi se trompe, je le sais. Zalman est peut-être un fou. Il ne sait pas de quoi il parle, il est méchant et je suis certaine qu'il va raconter aux Gentils des mensonges sur Grand-père rabbi. Mais il y a quelque chose de juste dans sa colère. Je le sais. Et j'ai besoin de toi, David.

Elle adoucit la sécheresse de ses mots avec un sourire qui arrêta le battement de mon cœur. Elle répéta :

— J'ai besoin de toi, une fois de plus.

— Pour quoi faire ?

— Pour convaincre Grand-père qu'il ne suffit pas qu'il se taise et ronge sa rage dans sa petite pièce du klaus. Et que l'assurance de paix qu'il a obtenue de l'empereur Rodolphe n'est plus aussi efficace, puisque tu as accompli ta mission et que, désormais, le prince des astronomes vient s'installer ici...

Je songeai que, oui, hélas, c'était bien ce qui m'effrayait. Éva formulait tout haut la peur qui me hantait depuis des semaines.

Tant que j'avais couru l'Europe, que j'avais cherché à convaincre Tycho Brahé, l'Empereur nous avait considérés comme un instrument utile à la réalisation de ses désirs. Et maintenant que nous les avions satisfaits, Rodolphe se montrait nettement moins enclin à assurer nos jours face à la vieille haine des catholiques, des jésuites ou des luthériens, qui rugissait à nouveau dans les églises et les temples de l'Empire comme rejaillit, de loin en loin, la lave explosive des vieux volcans.

Éva me raconta qu'elle s'était réunie avec des épouses, qui toutes lui avaient confié les mêmes terreurs : les pro-

192

chains massacres ne tarderaient pas. Deux cadavres inconnus avaient été découverts dans la partie de la Prague chrétienne que l'on appelait la *Mala Strana* en bohémien, « Le petit côté ». Deux jeunes femmes trouvées dans le fond d'une ruelle, nues, la gorge tranchée et le ventre ouvert. Nul n'avait reconnu leurs visages. Mais déjà la rumeur courait que des Juifs les avaient égorgées pour arroser de sang leur pain azyme.

— Tu sais où ces mensonges nous conduisent, dit Éva.

— Mais qu'attends-tu de ton grand-père ? Que peut-il faire qu'il n'ait déjà tenté ?

— Retourner voir l'Empereur...

— Tu n'as pas besoin de moi pour ça. Et je vais te dire la vérité que ceux qui écoutent cet illuminé de Zalman ne veulent pas entendre : notre Maître fait tout ce qu'il peut pour nous protéger. Il ne le fait pas d'hier. Il le fait depuis des années. Il n'est pas un mot, un souffle qui sorte de sa bouche qui ait un autre but que celui de nous mettre plus près de la protection du Tout-Puissant !

Je m'échauffai en parlant. Les idioties, les mensonges, les malveillances à l'égard du MaHaRaL, et que j'avais supportés en silence depuis des semaines, soudain m'enrageaient. Éva me considéra froidement.

— Je te crois, David. Pourtant ce n'est pas assez. Grand-père rabbi ne fait pas assez.

— Éva !

— N'est-ce pas toi qui as recueilli la tête de mon époux dans la fange des porcs ? Qui as passé des heures à chercher des débris de son corps sans les trouver ? Et demain tu veux recommencer avec mon corps ? Avec celui de ma mère ou de tous ceux qui vivent dans cette ville ? Puisque leur soif de meurtre ne cessera qu'avec notre disparition de l'univers.

— Éva, réfléchis un peu... Que peut faire ton grand-père contre cette haine qui dure depuis des siècles ? Que peut-il

193

accomplir que tout notre peuple ne soit parvenu à accomplir ?

Elle me considéra d'un regard qui me glaça.

— J'y ai réfléchi, David. Crois bien que j'y ai réfléchi. Depuis que nous sommes revenus, je n'ai pas cessé d'y penser. Et je dis comme les autres. Comme toutes ces femmes qui regardent leurs enfants et n'osent déjà plus respirer à la pensée de demain : Grand-père peut faire plus.

Ah, lecteur, c'était terrible de voir Éva pointer sans pardon cette impuissance qui nous massacrait autant que le mal qu'on nous infligeait.

Bien sûr que c'était insupportable. Bien sûr qu'il fallait lutter. Mais comment ? Par quels efforts, quelle abnégation que nous n'avions pas déjà tentés ?

Et moi, qui avais tant le désir d'apaiser les jours d'Éva, qui brûlais de tendresse pour elle et eusse voulu seulement admirer sa force, son rire, son bonheur, je me sentis doublement impuissant et humilié.

Une honte qui me serra le cœur. J'essayai de la jeter loin de moi par un rire mauvais, méprisant, même. Un ricanement de forcené tandis que je lançai :

— Tu n'es qu'une fille sans cervelle ! Que veux-tu ? Que le MaHaRaL nous produise un Golem qui anéantisse tous les chrétiens ? C'est ça, ta folie ?

Un bizarre silence tomba sur mes cris. Je crois bien qu'on entendit le frappement régulier du marteau de Joseph, mon logeur. Loin de répondre à ma mauvaise fureur par d'autres cris, Éva sourit. Un sourire que je ne lui avais jamais connu. Un de ces sourires que l'on voit sur certains portraits de femme, quand le peintre veut montrer qu'elle n'est pas simplement un être de chair, mais aussi une intelligence clairvoyante devant la course de l'univers.

— Oui, souffla-t-elle tout doucement.

Et elle m'enlaça, me serra, me baisa le cou comme une amante comblée en répétant :

— Oui, c'est ça, tu as trouvé, David! Je savais que tu saurais! C'est ce que Grand-père rabbi doit faire : il doit donner vie à celui qui nous défendra.

Et moi, dans un vertige qui me fit chanceler comme si j'avais perdu la raison aussi bien qu'un Zalman, je revis Tycho, sur Venusia, qui me demandait, ironique et envieux : « Tu y crois pour de bon, à cette possibilité du Golem, David Gans? »

Et encore : « Tu connais quelqu'un qui serait capable de cela? De créer un Golem? »

Et moi qui répondais : « Oui. S'il en est un en ce monde qui le peut, je le connais. »

Et là, dans les bras d'Éva, si sûre d'elle, qui me suppliait de convaincre son grand-père, me vint aussi ce rêve qui n'était pas tout à fait un rêve, à Gardone.

Lecteur, si un jour je fus près de perdre la raison, de devenir plus fou encore que l'énergumène Zalman, ce fut en cet instant.

Néanmoins, je refusai tout net d'accompagner Éva devant le MaHaRaL pour lui proposer cette folie. Je me sentais incapable d'affronter le regard de mon Maître lorsqu'il entendrait cette demande et sa cause.

Elle le fit le soir même. Certainement sans cacher qu'elle en avait pris l'idée sur mes lèvres. Je m'en doutai car, le lendemain matin après la prière, le MaHaRaL se dressa devant moi dans le vestibule qui séparait la synagogue des salles d'études.

Il se campa devant moi, les yeux bien ouverts, me scrutant sans un mot. Les lèvres si fines et si closes sous sa barbe qu'on ne les voyait plus. Un regard qu'il me fallut soutenir, bien que jamais je ne me sentisse aussi transparent devant son examen.

Il ne dit rien, moi encore moins.

Dans l'après-midi arrivèrent, devant la nouvelle synagogue du bourgmestre Maisel, trois rabbis de Varsovie et de Likov. Ils étaient dans un état d'épouvante, dépenaillés et écorchés comme des vagabonds. Trois jours plus tôt, leur chariot avait été brûlé à une heure de Prague. Ils s'étaient enfuis dans les bois et avaient erré, sans eau ni nourriture, pour échapper à leurs bourreaux.

La nouvelle fusa dans les rues et les maisons. Avant la fin du jour, un chant curieux retentit hors du klaus. Quand nous sortîmes, nous découvrîmes une foule immense de femmes. Et, en première ligne, Éva.

Elles psalmodiaient doucement le nom du MaHaRaL, le gratifiant de toutes les grâces et de tous les pouvoirs, s'en remettant à lui sans réserve, l'appelant « Le sauveur de nos vies » et même « Le messie d'avant le messie ».

Un chant répandu par Éva, je n'en doutais pas. Une ruse qui ne pouvait que mettre son grand-père en fureur tant elle frôlait le blasphème et heurtait son humilité. Mais une ruse efficace.

On vit le Haut Rabbi Lœw se dresser, fouetter l'air de sa canne pour réclamer le silence.

— Taisez-vous, femmes ! Vous ignorez même la force de vos mots !

Elles cessèrent de chanter. Je surveillai Éva et vis qu'elle se gardait de lever les yeux vers son grand-père. Mais elle ne put dissimuler un bref sourire lorsqu'une matrone, sans hésiter, répondit :

— Nous connaissons parfaitement le poids de nos mots, très saint rabbi. Il coule dans notre sang avec l'amour de nos époux et de nos enfants qui se feront massacrer demain si tu ne fais rien pour nous sauver...

196

Une autre, enhardie, lança :

— Puisque toi, tu sais plus qu'aucun autre la force de ces mots, n'est-il pas temps que tu t'en serves?

— Vous ne savez pas de quoi vous parlez, s'obstina le MaHaRaL.

Alors Éva lança le nom de Bachrach et, à sa suite, l'une après l'autre, les femmes prononcèrent les noms de leurs bien-aimés massacrés au cours des deux dernières années.

Je crus que le MaHaRaL allait encore lever sa canne pour les faire taire, mais il baissa seulement le front et attendit que s'achève la terrible litanie.

Maintenant, au-delà de la foule des femmes, étaient arrivés les hommes et les enfants. Bientôt toute la ville se pressa autour du klaus, investissant le cimetière autant que la rue.

Dans le silence revenu, notre Maître considéra les milliers de visages suspendus à son souffle.

D'une voix faible et qui pourtant fut perçue de tous, il déclara :

— Je sais ce que vous attendez de moi, mais seul le Saint Nom peut dire si j'en suis capable.

Comme dans un réflexe, la foule des femmes lui répondit :

— Qui est plus pur, plus saint, plus sage que notre MaHaRaL?

Je devinai les mots sur la bouche d'Éva plus tôt que sur toutes les autres, et je devinai que cette réplique aussi, elle l'avait prévue. Notre Maître n'en fut pas dupe, car c'est elle qu'il considéra durement en rétorquant :

— Pour qui vous prenez-vous, pour juger de la sagesse et de la pureté?

Et comme cette fois il avait obtenu un silence respectueux, il ajouta :

— Ce que vous espérez tous, c'est la force et la puissance. Vous voulez posséder une arme qui écrase ceux qui nous écrasent. Vous voulez la paix par le moyen de la destruction... Vous voulez le Golem, mais qui d'entre vous pourra dire ce qu'engendre le Golem ?

Il se tut, considérant la foule, laissant ses paroles atteindre les cœurs.

Et soudain, bien appuyé sur sa canne, sa silhouette frémissant comme si une onde la traversait, il gronda :

— Retirez-vous. Allez prier et laissez Dieu décider de ce qu'Il nous permet et ne nous permet pas.

Ce fut la plus étrange nuit de ma vie.

Personne ne dormit et les synagogues brillèrent autant que durant Hanoucca.

Nous, les disciples, quand nous vîmes le MaHaRaL rentrer dans le klaus, nous pressentîmes tous ensemble que nous ne devions pas l'y suivre. Nous nous disposâmes tout autour du bâtiment et, malgré le froid mordant qui nous gelait les os et givrait nos barbes, nous priâmes comme il l'avait ordonné.

Au début de la nuit, je ne pus m'empêcher de songer beaucoup à Éva. Elle avait gagné cette bataille que je croyais impossible avec une adresse qui m'éblouissait. Mais rien n'était joué, et elle devait savoir que son grand-père ne se laisserait conduire par rien d'autre que la paume du Tout-Puissant.

Peu à peu, nos prières devinrent une manière d'engourdissement que le froid et la fatigue renforçaient. Afin de lutter contre cette faiblesse grandissante, l'idée vint à l'un de nous de marcher tout autour du klaus et entre les pierres des tombes. Des enfants étaient venus nous apporter des chandelles. Des hommes vinrent les renouveler et déambuler à nos côtés, priant d'une même voix. Quand l'aube approcha, il y eut ce spectacle étrange et magnifique de nos voix dans le noir et de nos chandelles qui brillaient en tournant comme si cela ne devait jamais finir. Et comme nous avions conscience de cette beauté et que notre effort se transformait en une sorte de joie inattendue, nous priions de plus en plus fort, les mots montant dans la nuit avec la même légèreté que nos pas glissaient sur le givre.

Nul doute que si les Gentils avaient pu surprendre ce spectacle ils eussent pris peur et se fussent persuadés, confirmant leurs pires craintes, que nous étions en train de pratiquer une magie terrible.

Finalement, nous fûmes soudain silencieux et tremblants d'effroi lorsqu'une heure avant l'aube il sembla que l'obscurité cessa de faire peser un froid de glace sur nos visages et sur nos nuques. Les flammes des chandelles s'allongèrent ainsi qu'elles le font en été quand elles sont emportées dans un souffle chaud. On leva les mains avec le désir de simplement caresser l'air. Nos cœurs s'affolèrent de le sentir doux, soyeux, si suave que le trouble nous ferma les paupières.

Nos bouches se turent. Les prières volaient dans nos cœurs sans le besoin du bruit de nos gorges. Plusieurs d'entre nous respirèrent un parfum inconnu, si envoûtant, si délectable, qu'il se glissa dans nos poitrines comme si nos chairs étaient devenues aussi tendres et accessibles que des pétales de fleurs.

Et cela cessa.

La lumière du jour nouveau rosissait le ciel. Rien n'avait changé du bâtiment, du cimetière et des murs. Le froid était là. La buée sortait de nos bouches et gelait sur nos joues. Mais tous ensemble nous découvrîmes le MaHaRaL dressé devant nous, drapé dans son immense manteau.

Nous nous approchâmes. Il dit :

— Qu'on fasse la chaîne depuis la rive du fleuve et qu'on m'apporte de la boue malléable.

Ce fut ainsi que cela advint.

La décision du MaHaRaL fila comme la foudre de bouche à oreille. Un cri de joie résonna entre les murs. Les enfants bondirent dans les rues en hurlant :

— Golem ! Golem ! Golem !

On réquisitionna tout ce qui pouvait transporter un peu de terre boueuse et tous les outils capables de creuser dans la berge de la Vltava. Avant que les premiers rayons du soleil n'effleurent les murs du château qui surplombait Prague, la boue commença à s'entasser aux pieds du MaHaRaL.

Il s'était posté au centre de la place de l'hôtel de ville. Sur les pavés encore blanchis par la gelée, la boue noire du fleuve fumait. Mille bras échangeaient les seaux et bientôt des carrioles tirées par des mules. Mais il s'avéra vite que cette première boue était bien trop liquide pour s'amasser en un tas modelable.

Des cris, des protestations fusèrent. On réclama une glaise plus consistante. Elle arriva, cette fois-ci grise, moirée de reflets verdâtres. Une terre belle et souple, collante et chaude. Elle s'entassait vite quoiqu'elle fût lourde et que les bras fatiguassent.

Le MaHaRaL, durant tout ce temps, n'avait pas bougé d'un pouce. Derrière ses paupières à demi closes, nul ne pouvait deviner son regard. On eût cru qu'il était lui-même devenu une statue.

Mais quand l'amoncellement de glaise parvint à hauteur de poitrine, il s'avança d'un pas vif. Il repoussa d'un geste ceux qui se trouvaient devant lui. Ses mains nues plongèrent dans la terre molle, la pétrirent et la roulèrent. Lentement, deux colonnes de boue massive apparurent. Une sorte de jambes.

Puis les hanches et la taille.

Afin que cela tienne, il fallut encore épaissir les jambes et allonger les pieds.

Pour sculpter la poitrine, et bien que notre Maître fût de très haute taille, on apporta une carriole. Il y monta et poursuivit son incroyable modelage. Le soleil à présent asséchait un peu plus la boue au fur et à mesure que les mains du MaHaRaL la moulaient. Le thorax prit une apparence meilleure et plus humaine que les jambes, quoiqu'il possédât la taille d'une double barrique.

Les bras nécessitèrent un travail lent et difficile. La boue chutait des coudes, les poignets s'effritaient et les doigts ne purent qu'être gigantesques, disproportionnés, sinon, ils se détachaient aussitôt modelés.

Étrangement, le cou et la tête furent les plus aisés à réaliser.

Le soleil approchait de midi quand le MaHaRaL planta deux pierres d'un bleu doux à la place des yeux.

Il y avait longtemps qu'on n'apportait plus de boue et que la ville entière était massée sur la place. Les cœurs cognaient dans les poitrines mais les lèvres laissaient à peine passer les souffles.

Du bout de l'index, notre Maître dessina une bouche aux belles lèvres. Elles possédaient un ourlet léger, comme sur le point de sourire.

Encore il façonna un nez. Un nez puissant, droit. Creusa le dessous de la bouche pour dégager le menton, malaxa les tempes pour qu'elles respectent un peu la symétrie.

Puis il retira ses mains.

Debout sur la carriole, il devait lever la tête pour regarder les yeux de pierre qui lui faisaient face. Le soleil éblouissait sans réchauffer. Le silence fut aussi mordant que le froid.

Le MaHaRaL demeura immobile et, de nouveau, ses paupières voilèrent son regard. Mais sa bouche frémissait sur des paroles inaudibles.

Puis d'un geste violent, inattendu, qui souleva une exclamation dans la foule, de la paume il effaça la bouche qu'il venait de modeler. La glaise des lèvres gicla sur ceux qui étaient les plus proches et la face de terre apparut, étrange. Rien d'humain.

Alors le MaHaRaL sortit de sous son manteau quatre plaquettes de bois larges de quatre paumes. Chacune était recouverte d'une lettre écrite au pinceau dans une encre noire et épaisse :

ÈMET.

Ce qui signifie : Vérité.

Et voilà ce qui arriva. Le MaHaRaL enfonça avec soin les quatre lettres dans la glaise du front. Il était si large que les plaquettes de bois parurent bien minuscules.

Plus tard, certains assurèrent avoir entendu, venant de la poitrine du MaHaRaL, une voix puissante usant de mots inconnus.

Bien que tout proche, je n'entendis rien. Je dévorai des yeux cette apparence d'homme de boue grise. Je ne respirai pas plus que lui.

Puis je hurlai, comme toute la place, quand soudain son bras trembla, sa masse tangua. On crut qu'un vent que nous ne sentions pas le faisait vaciller. Le MaHaRaL lui-même recula sur la carriole. La chose encore bougea. Les bras se tendirent. Une jambe se leva et retomba et, pour la première fois, nous entendîmes le choc sourd de son poids sur le sol. Et les Juifs de Prague crièrent à gorge déployée :

— Golem ! Golem ! Golem !

4.

La folie qui nous gagna avec la naissance de Golem s'apaisa avant le crépuscule. L'excitation fit place à l'épuisement. La longue veille de la nuit précédente, l'angoisse et le bonheur avaient consumé nos forces. C'est à peine si nous nous aperçûmes que le MaHaRaL était toujours là et ne cédait rien de sa sévérité.

Pas un, parmi nous, ne songea à l'énergie fabuleuse qu'il avait dû déployer pour donner vie à cette boue que l'on déversait à ses pieds. Pas un n'avait compris la vérité, ÈMET : MaHaRaL, à notre demande, venait d'introduire l'étranger parmi nous. Aujourd'hui je comprends mieux sa gravité d'alors. Il ne montrait pas une once de joie, tandis que tous nous exultions.

À mon étonnement aujourd'hui encore, je me rends compte que nous étions plus stupéfiés par l'apparence et la vie de Golem que par l'immensité du pouvoir et de la sagesse que notre Maître avait dû requérir pour l'engendrer. Notre admiration pour le MaHaRaL était si absolue, et depuis si longtemps, que nous étions prêts à considérer cet immense prodige comme un événement résultant tout naturellement de son savoir et de sa pureté.

Alors que les enfants s'épuisaient autour de Golem dans une sarabande pleine d'allégresse, notre Maître descendit de la carriole où il était juché. Il se dirigea vers les marches de la nouvelle synagogue de Maisel. Nous étions là, tous assemblés, nous, ses disciples du klaus et les rabbis de la synagogue. Avec vénération, nous formâmes une haie pour son passage.

À ce moment, l'un des plus jeunes disciples du klaus désigna Golem et demanda d'une voix inquiète.

— Et lui?

La crainte sur son visage révélait les mots qu'il ne prononçait pas. Le MaHaRaL l'entendit et, sans se détourner, répondit simplement :

— Golem m'attendra. Dieu, lui, n'est pas toujours patient.

En effet, Golem semblait attendre.

Alors qu'un instant plus tôt il tanguait au milieu de la liesse enfantine, dès que le MaHaRaL s'était éloigné, il s'était figé. Debout, immobile, indifférent au vacarme qui l'entourait. Comme s'il dormait. Ou qu'il ne s'était jamais animé.

Cependant, les portes de la synagogue n'eurent pas le temps de se refermer sur nous. Un énorme vacarme éclata sans que nous comprenions d'abord de quoi il s'agissait. Finalement, sur la place, des mains désignèrent l'église du Saint-Esprit qui surmontait comme une sentinelle le mur d'enceinte de la ville juive. Des voix s'exclamèrent :

— Le tocsin! Le tocsin!

C'était vrai. L'appel des cloches vrilla l'air et figea le sang dans nos veines. À Prague, le tocsin ne sonnait que pour annoncer la peste, les incendies et la guerre.

Pour la première fois depuis des heures, nous détournâmes nos yeux de Golem. Dans un premier réflexe d'effroi, nous cherchâmes des fumées sur les toits et par-dessus nos murs.

Ce ne furent pas les flammes d'un incendie qu'on discerna, mais des visages ahuris. Deux dizaines d'hommes,

204

et parmi eux des prêtres en soutane, se massaient sur la coursive de bois qui courait sous le toit de l'église pour en faciliter les réparations. Leurs doigts pointaient le Golem et, malgré la distance, nous pouvions deviner leurs yeux effarés.

Nous comprimes : alors que d'ordinaire nos rues étaient d'un silence et d'un calme prudents, nos cris, nos chants, notre exubérance avaient alerté la ville chrétienne.

Emportés par notre gaieté, nous étions sur le point de moquer la peur provoquée par Golem quand, sous le son des cloches, nous perçûmes un vacarme d'un tout autre genre. Celui-là, nous le connaissions bien : c'étaient les braillements de la foule qui précédaient les explosions de fureur contre nous.

Quelqu'un lança :

— Les portes, les portes...

Avec sagesse, au matin de ce jour exceptionnel et avant même que le MaHaRaL annonce sa décision de créer Golem, le bourgmestre Maisel avait ordonné que les portes de notre ville demeurent closes. Cependant, en temps de paix avec les chrétiens, nos rues ne restaient jamais fermées. La manœuvre avait donc attisé leur curiosité.

Quand nous nous approchâmes du mur d'enceinte, nous découvrîmes une multitude agrippée aux cheminées voisines, entassée dans le cadre des faîtières, partout où la vue donnait sur nos maisons et sur nos places. Des échelles avaient même été dressées, permettant à des gamins de grimper sur les pierres moussues du mur situé dans l'axe d'une ruelle ouvrant sur la place de notre hôtel de ville. Là, ils hurlaient ce qu'ils voyaient à ceux demeurés dessous. Quelques-uns singeaient Golem en se dandinant sur l'étroite maçonnerie. Ils riaient, lançaient le poing vers nous et, à l'occasion, quelques cailloux.

Et nous, tout à notre joie, nous n'avions eu conscience ni de leurs regards ni de leur peur.

Ah, lecteur, tu peux comprendre sans peine les folles élucubrations qui traversèrent l'esprit de ceux qui venaient de nous surprendre à danser autour de Golem! Déjà enclins à nous croire maîtres d'une magie infernale, excédés par les rumeurs les plus féroces qui nous condamnaient à l'avance, ils découvraient de leurs yeux l'ahurissante réalité.

Comme à un signal, le battement du tocsin cessa brutalement. Des rues à l'entour de l'église nous entendîmes monter une vibrante clameur. Un braillement de fureur enthousiaste qui nous glaça les chairs. L'instant d'après, des coups sourds annoncèrent qu'on cherchait à enfoncer nos portes.

La joie, l'allégresse et la fatigue nous abandonnèrent. Une vieille peur mêlée de colère crispa nos épaules et serra nos poings. Des femmes s'empressèrent de réunir leurs enfants et de les pousser vers les maisons.

Éva tenta de les arrêter :

— Que faites-vous? Pourquoi fuyez-vous? Golem est là, maintenant! Avez-vous donc tous oublié pourquoi nous avons supplié Grand-père rabbi de le créer?

Elle avait raison.

Émerveillés, comblés par le prodige du MaHaRaL, nous nous étions comportés comme des enfants au spectacle. Le voir sculpter Golem et lui insuffler un semblant de vie avait été une sorte de grâce que nous offrait l'Éternel par son entremise. Et, oui, nous avions oublié la véritable raison de son existence : nous protéger.

À présent, nous entendions distinctement les coups de bélier contre la porte Paryzkâ, notre porte principale donnant au cœur de Prague. Comme les autres, j'eus

206

soudain conscience de la folie qui nous avait emportés. Le cœur serré de honte, je compris la sévérité qui imprégnait le visage du MaHaRaL. Pétrir la glaise de Golem dans une apparence d'homme, le pousser au mouvement, aussi formidable que ce fût, n'était que la moitié de l'œuvre.

« Ne préjuge pas de ce qui n'est pas encore accompli. »

Je crus entendre la voix du MaHaRaL chuchoter à mon oreille ces mots que je connaissais si bien.

Oui, rien, encore, n'était accompli. L'obstination des Gentils à la haine et à la violence nous le rappelait. Le doute, la terreur de nouveau s'abattaient sur nous.

Golem était toujours debout, comme endormi. Sur son front les quatre lettres du mot ÈMET paraissaient ternes, à demi recouvertes par des coulures de boue. Sa face sans bouche, les pierres qui lui servaient d'yeux n'avaient rien pour nous rassurer. Dans cette immobilité, Golem n'était plus qu'un grotesque amas de limon en forme d'homme. L'humidité suintait de sa masse. Une flaque malodorante s'était formée autour des blocs ébauchés qui lui servaient de pieds. Et comme l'ombre du soir approchait vite, sa boue paraissait si sombre qu'elle semblait vouloir bientôt s'effacer et disparaître à jamais dans la nuit.

L'incertitude nous serra la gorge. Ce colosse informe et dégoulinant, cette glaise de la Vltava pourrait-elle nous défendre et nous sauver de la haine ?

Comme pour nous répondre, le tocsin se remit à battre. Les vibrations des cloches déchaînées nous abrasèrent les nerfs. Les cris qui montaient de derrière les murs s'accompagnaient maintenant des hennissements de chevaux et d'un cliquettement de ferraille.

Le bourgmestre Maisel apparut avec une dizaine d'hommes portant des lanternes. L'ombre glaciale du soir s'était abattue sur nous sans que nous nous en rendions compte.

Il y eut un cri dans la foule. Je mis un instant à comprendre que c'était ce fou de Zalman qui se réveillait. Il nous haranguait avec son verbe de dément :

— Golem ne vous protégera pas! Ce n'est qu'une illusion de boue puante. Le MaHaRaL est le Maître des mensonges. Honte à lui qui attire le Mal sur nos têtes! Les Gentils vont nous étriper parce que vous vous livrez à la magie. Il faut ouvrir les portes et les laisser repousser ce tas de boue immonde dans le fleuve, sinon, demain, nous n'aurons plus de fils ni de filles...

À peine Zalman eut-il fini d'éructer que Maisel somma ses hommes, qui s'emparèrent de lui. Il ne cessa de vociférer pendant qu'ils le repoussaient loin de la place.

Mais, comme toujours, les propos de Zalman, si insanes fussent-ils, laissaient leur empreinte dans les têtes et les cœurs les plus faibles. Un murmure ambigu s'étira ici et là. À sa manière, Zalman exprimait tout haut une vérité : si Golem échouait à nous protéger, peu d'entre nous verraient l'aube du jour à venir.

Les imprécations de Zalman ne firent pas ciller le MaHaRaL. Je me demandai s'il les avait entendues. Au cœur de l'angoisse et du tumulte qui nous emportaient, il conservait un calme qui donnait à sa silhouette quelque chose d'irréel.

Il se tenait si près de Golem qu'il pouvait le toucher. Sa main sortit de la vaste manche de son manteau. Ses doigts se tendirent, effleurèrent les monstrueux doigts de boue. Un mouvement doux, presque tendre. Cela dura un peu, puis les paupières du MaHaRaL voilèrent son regard. Sa main s'éleva. Ses lèvres et sa barbe s'agitèrent sous la vigueur de sa prière. Nul n'en devina les mots. Le manteau qui l'enveloppait frémit sous la tension de son vieux corps. On osait à peine regarder. Une prière monta à la bouche de chacun, un étrange chaos et empilement de prières tandis que le vacarme autour de nos rues croissait.

Et, d'un coup, un prodige se réalisa encore devant nous. La chair si pâle de la main du MaHaRaL se mit à briller. Un éclat dur comme celui des étoiles que l'on observe par les nuits très froides. Une irradiation éblouissante qui semblait sourdre de la paume même de notre Maître. Elle fusa sur la boue moite de Golem où s'absorbaient les rayons des lanternes.

Du haut de sa masse, la tête de boue s'inclina, les quatre lettres de sa vie, qu'on discernait à peine un instant plus tôt, commencèrent à luire. La main du MaHaRaL se leva encore, comme s'il voulait recueillir dans sa paume cette face sans bouche et sans parole.

Les pierres bleues de ses yeux répondirent à l'éclat qui les illuminait. Golem eut une secousse qui nous ébranla tous. Il redressa et détourna sa face comme sous l'effet d'un éblouissement.

La vie était revenue en lui.

Dans la pénombre, la brise tiède qui se levait dispersa sur nos lèvres un souffle bizarre. Un air légèrement écœurant, comme on pouvait en respirer aux chaleurs d'été sur les rives de la Vltava.

La voix du MaHaRaL n'eut pas à être forte pour s'imposer.

— Viens, dit-il. Viens, Golem, et accomplis ce pourquoi tu vis.

Ce ne furent que quelques mots. À peine plus que du silence.

Pourtant, lecteur, considère cela. De ma vie, avant ou après, jamais cet instant ne se reproduisit et jamais je ne reçus de leçon plus prodigieuse.

Ces quelques mots du MaHaRaL n'étaient rien. Des sons simples et ordinaires. Pourtant, avec chaque syllabe qu'il prononça je vis jaillir de sa bouche ce souffle unique et fabuleux, ce pouvoir du Verbe avec lequel le Saint Nom tira un jour le monde hors du néant et lança nos vies dans l'univers.

Mais aussitôt, sans rien quitter de sa simplicité et conservant sa main dressée, paume face au ciel, le MaHaRaL s'écarta de Golem. Il se dirigea si brusquement en direction de la porte Paryzkâ qu'une bousculade s'ensuivit.

Les porteurs des lanternes coururent pour le précéder. Le mouvement de la foule se transforma en une sorte de houle qui s'élargissait devant Golem. Le sol tremblait sous ses pas colossaux.

La porte Paryzkâ se découpait dans la nuit rougie par les torches. Elle était flanquée de deux petites tourelles à guichets que les guetteurs avaient depuis longtemps désertées sous les jets de pierres venus de l'autre côté. Les massacreurs gueulaient, rythmant l'élan des bœufs qui entraînaient le bélier. Les huisseries résistaient encore, bien que chaque coup engendrât des fissures et des brisures plus importantes. Le madrier, retenu dans son cloisonnement par des cordes, tressautait, craquait, mais tenait bon.

Y avait-il des guetteurs invisibles sur les toits voisins? Ou fut-ce le martèlement du sol par Golem qui nous annonça? Les vociférations de l'autre côté de la porte diminuèrent.

Le bourgmestre Maisel se tourna vers le MaHaRaL et lui demanda de bien vouloir s'immobiliser. Golem en fit autant. Maintenant qu'il occupait tout l'espace d'une rue, sa taille n'en paraissait que plus géante. Sa face sans bouche parvenait sans peine à la hauteur des premiers étages.

Maisel lança d'une voix forte :

— Les Gentils ignorent la puissance de Golem. Il est juste que je monte au guichet, afin de les prévenir qu'ils peuvent encore choisir la paix sans..

210

Il n'acheva pas sa phrase. Le cri de Zalman l'interrompit.

Une hache brandie au-dessus de la tête, le fou se précipita sur les cordes retenant le madrier de la porte. Avant que quiconque réagisse, il les frappa de toutes ses forces. Des éclats de chanvre volèrent autour de lui. Les cordages n'étaient pas tout à fait tranchés quand, de l'autre côté, un nouveau coup de bélier catapulta le madrier hors de son cloisonnement. Il rebondit contre la poitrine de Zalman, le projeta au sol, l'écrasant comme une feuille.

La lueur des torches des chrétiens apparut dans l'entrebâillement de l'huis. Une clameur de victoire jaillit. Parmi nous, certains se jetèrent sur le madrier pour le replacer. Ils furent balayés par les vantaux, qui cédèrent sous le nouveau choc du bélier et s'ouvrirent aussi sèchement qu'une paire de volets.

La stupeur nous pétrifia de part et d'autre.

La foule des Gentils était impressionnante. Derrière l'attelage de quatre paires de bœufs harnachés au tronc d'un arbre comme à un timon se pressait une marée humaine hérissée de lances, de haches, de chevaux caparaçonnés comme à la guerre. Les épées luisaient du rouge des torches ; des bâtons cloutés, des casse-tête, même des faux, virevoltaient tels des oiseaux de malheur.

La sidération de nos assaillants valait bien la nôtre. Eux qui, pour la première fois, levaient la tête afin de découvrir la face de Golem.

Ils n'eurent pas le loisir de s'y attarder.

Le MaHaRaL à nouveau lança sa main vers cette masse de glaise qui nous dominait tous. On l'entendit répéter :
— Va, accomplis ce pour quoi tu vis !
Et Golem s'avança de ce pas lent qui était le sien.

Avant qu'il parvienne à la porte, une pluie de flèches vibrionna dans l'éclat des torches. Avec un bruit de grêle, elles s'enfoncèrent dans la boue de son torse et de ses hanches. Les unes s'y retenant et se balançant avec les mouvements de Golem, les autres glissant comme des brindilles sur le limon humide. Puis ce fut au tour des lances à fer large de voler. Elles s'enfoncèrent plus profondément dans la masse de Golem, leurs lourdes hampes entravant à peine sa progression.

Il inclina la tête, son regard de pierre parut considérer avec étonnement cette broussaille de hampes qui hérissait son torse. Son bras et sa main droite se levèrent. Lances et flèches furent balayées telles des plumes, se brisant avec des bruits de roseaux secs et s'égaillant en tous sens.

Ce fut ce geste, je crois, qui fit comprendre aux massacreurs leur échec. On entendit les chevaux hennir sous les brides trop tendues et les braillements empruntèrent soudain l'accent de la panique.

Golem se remit en marche, s'avança droit sur les bœufs abandonnés sous la charge du bélier. Il attrapa le tronc massif qui avait défoncé la porte et, d'une poussée à peine imaginable, il rejeta violemment l'attelage dans la foule, semant la terreur et la douleur. Avec un craquement qui nous fit reculer, le tronc du bélier défonça la façade d'une maison. Les bœufs, entravés par les licous, beuglèrent autant que si on les égorgeait. De la masse de son poing et d'un geste qui sembla presque doux, Golem assomma la bête la plus proche de lui.

L'épouvante emporta la foule. Golem tourna sur luimême comme si le chaos alentour le déconcertait. Des torches lancées des étages des maisons plurent sur son dos. Elles s'éteignaient dans un chuintement flasque aussitôt qu'elles l'atteignaient. Des haches rebondirent contre ses cuisses, détachant de maigres poignées de boue. Aussi

212

indifférent qu'un mur, Golem stoppa le galop d'un cavalier qui le chargeait. Sa poigne de boue souleva l'homme et le cheval, et, comme un enfant rejetterait un jouet brisé, il les projeta loin de lui.

La nuit de Prague n'était plus qu'un hurlement de terreur. Le carnage eût pu devenir plus absolu encore si le MaHaRaL n'avait levé la paume.

Il ne prononça pas un mot, ses lèvres restèrent closes. Le Golem se figea. Sa masse se découpait comme une forme de nuit plus obscure dans le ciel brillant d'étoiles.

Il se retourna, revint de son pas pesant, indifférent aux gémissements des blessés et, avec la fidélité d'un animal bien dressé, franchit la porte Paryzkâ, que l'on s'empressa de refermer à la chaîne derrière lui.

Notre propre stupeur devant sa puissance fut si grande que personne ne songea à crier victoire.

LA PAIX ET LE SECRET

1.

La première nuit sous la garde de Golem fut une nuit étrange. Malgré l'épuisement, il nous fut difficile de trouver le sommeil.

Pour la première fois nous avions résisté à nos massacreurs.

Une victoire qui pouvait nous conduire à la paix. Une paix comme jamais nous n'avions osé l'espérer, acquise par notre pouvoir. Par notre puissance. Une paix que nous pouvions imposer à nos ennemis, à notre tour, comme ils nous avaient depuis des siècles imposé leurs humeurs et leurs caprices mortels.

Cependant, nous étions si peu accoutumés à être les vainqueurs que cette bataille remportée grâce à la force de Golem paraissait teintée d'angoisses et de questions.

Notre victoire était-elle seulement un effet de la surprise? Les vaincus allaient-ils se renforcer et chercher vengeance dans une guerre sans autre fin que notre commune extermination?

Et qu'allait faire l'Empereur? Nous avions tous remarqué que la garde de Rodolphe ne s'était pas disposée entre nos portes et nos assaillants comme elle l'aurait dû. Était-ce le signe que l'Empereur se désintéressait tout à fait de notre sort? Nul doute qu'il devait à présent être informé du prodige accompli par le MaHaRaL. Comment allait-il réagir devant notre nouvelle puissance? La contesterait-il? Allions-nous devoir user de la force de Golem contre lui?...

En une seule nuit et en une seule bataille, nous découvrions cette chose étrange. Avant la naissance de Golem, notre angoisse était unique : il nous fallait vivre et survivre. Désormais, la force née de notre propre volonté nous rendait maîtres de chaque pas de notre destin. Et c'était notre responsabilité, autant que la volonté de Dieu, que de choisir comment et où le conduire.

Golem lui-même s'avérait un émerveillement et une inquiétude.

Ah, tu le sais, lecteur : un prodige ne peut être qu'incompréhensible. Et quand il est celui d'une force invincible, comment, même un peu, même secrètement, ne pas le craindre autant que le vénérer?

Ainsi, au cœur de cette première nuit, ne parvenant pas à dormir, je me relevai. Je quittai ma chambre dans la maison de Joseph et me dirigeai vers la place de l'hôtel de ville.

Prague baignait dans le silence d'une nuit de gel. Toute trace de vacarme s'était évanouie. Le froid était cruel. Un givre dur crissait sous les bottes et répandait une lueur égale et sans ombre. Le ciel était d'une si grande pureté que les étoiles produisaient autant de lumière qu'une pleine lune. La pensée de Tycho Brahé me traversa. À quelques lieues de là, dans son nouvel observatoire de Benatek, l'homme à la longue moustache et au faux nez était sans doute emmitouflé dans son manteau de fourrure, l'œil rivé à ses machines. Je l'enviai.

Arrivé sur la place, je m'immobilisai de surprise. Golem était bien là. Plus énorme que jamais dans sa position assise. Le givre le recouvrait en entier d'un doux scintillement blanc. Autour de lui, immobiles dans des manteaux qui les protégeaient à peine de la morsure du froid, ils étaient déjà plus d'une centaine à s'être relevés, comme moi, pour venir le contempler.

Je m'approchai et reconnus parmi eux la silhouette d'Éva. Elle me rejoignit. Elle glissa ses mains recouvertes de grosses moufles de laine sous mon bras. Sans un mot, on regarda Golem.

À nouveau, il était comme sans vie. Quelque chose, dans l'abandon de sa masse, sa posture, l'absence de mouvements de sa poitrine, empêchait de se convaincre qu'il dormait comme un homme. Irrémédiablement, c'était une *chose*. Une chose inouïe et incompréhensible qui revêtait maladroitement notre apparence, mais sans rien de commun avec nous que ces ébauches de bras, de jambes, de torse et de tête. Il n'évoquait pas même une poupée monstrueuse, plutôt une de ces racines bizarres que parfois l'on tirait du sol.

Pourtant, dans cette nuit lumineuse, la boue de sa chair semblait avoir un peu changé. La glaise était plus lisse. Le grumeleux du limon, les déchets d'algues, les scories du modelage, les entailles laissées par les haches et les lances avaient disparu.

Peut-être était-ce le seul effet du givre qui le recouvrait ?

L'humidité qui n'avait cessé de perler à la surface de son corps s'était cristallisée en somptueuses fleurs de glace. Une myriade scintillante où se reflétait le feu froid des astres. Une chair de terre qu'aucun de nous n'osait encore effleurer. Pas même Éva.

Elle leva le visage vers moi. Ses yeux brillaient presque autant que la surface de Golem. Son souffle libérait une vapeur épaisse. Elle chuchota, comme si elle avait peur de le réveiller :

— Avant, je le trouvais si laid... Et maintenant, il est si beau !

Elle me regarda, attendant une réponse. Comme je me taisais, elle ajouta :

— David, je le sens. Je sens Golem. Je sens qu'il est vivant.

Je fronçai les sourcils sans bien comprendre ce qu'elle voulait dire.

Mais Éva possédait elle-même, en cet instant, une si grande beauté que je ne lui posai pas de question.

Puis, à l'admirer ainsi, à voir cette beauté qui émanait d'elle, dans cette nuit de glace au pied de Golem, une évidence m'abasourdit : voilà pourquoi elle avait rompu la promesse entre son père et Jacob. Pourquoi elle n'avait pas voulu épouser Isaïe. Pourquoi elle avait fui Prague et pourquoi Bachrach était mort.

Éva avait été le chemin choisi par le Tout-Puissant pour conduire Golem depuis les limbes de l'irréalisé jusqu'à la pure sagesse du MaHaRaL.

Tous les instants de sa vie depuis la première heure de sa naissance, son intelligence rebelle, la fureur du dibbouq qui s'était acharné à la martyriser et à la détourner de ce destin, jusqu'à l'amour qui me portait vers elle et, dans toute cette histoire, avait fait de moi un simple et léger instrument... tout me montrait soudain cette vérité.

Golem était venu jusqu'à nous comme le fruit du destin d'Éva, la petite-fille de celui qui, seul, pouvait recueillir la pureté du Verbe divin, MaHaRaL.

2.

En vérité, nos inquiétudes se révélèrent vaines et peut-être bien le fruit d'une trop longue accoutumance aux mauvaises nouvelles. L'apparition de Golem était si stupéfiante que nul ne songea à discuter sa puissance... ni le pouvoir sidérant du MaHaRaL.

Le jour était à peine levé lorsque trois capitaines de la garde impériale firent sonner leurs trompes devant la porte Paryzkâ et en réclamèrent l'ouverture. Aussitôt l'ordre exécuté, ils firent déployer des gens d'armes sur deux longues colonnes et annoncèrent l'arrivée très prochaine de l'Empereur lui-même.

Nous eûmes à peine le temps de prévenir le MaHaRaL et le bourgmestre Maisel, de passer nos meilleurs manteaux et de nous presser vers la place, que nous entendîmes la cavalcade qui accompagnait Rodolphe. Pour la première fois de son règne, il pénétra dans la ville juive.

Les plus grands noms de la cour se pressaient derrière lui, si bien qu'en très peu de temps l'embarras des carrosses dans les ruelles étroites autour de la porte devint inextricable.

Vingt serviteurs se précipitèrent pour dérouler le marchepied du carrosse impérial. Le chambellan ouvrit la portière. Nous nous inclinâmes, anxieux de surveiller sur son visage l'humeur de notre souverain.

La plupart d'entre nous ne l'avions encore jamais vu en chair et en os. La surprise fut grande de découvrir un homme si petit et si large qu'il semblait taillé dans un cube. L'impression venait de ce que, déjà naturellement fort, court et rond, doté d'un menton prognathe posé sur une magnifique dentelle de Bruges, il portait sous une fourrure de loup un étrange pourpoint de velours cramoisi piqué de bourrelets tissés d'or et d'argent où tressautait le magnifique insigne de la toison d'or – tout un attirail qui l'épaississait.

Pour ce qui est de sa face, elle était intensément rouge, de poil comme de peau, le nez long et pointu, les rides profondes autour des yeux, qu'il avait petits, vifs et sombres.

Un murmure d'approbation courut parmi nous quand il souleva son immense toque pour saluer le MaHaRaL, en hébreu et avec un respect qui nous impressionna.

Le bourgmestre Maisel lança d'une voix forte quelques mots à sa louange. À peine s'inclina-t-il dans une nouvelle révérence que jaillirent des vivats à la gloire de l'Empereur. Ils parurent si naturels et tellement enthousiastes que tous nous les reprîmes, faisant vibrer les murs de nos maisons.

Cependant, Rodolphe était plein d'impatience. Avec un geste qui nous stupéfia et que nul d'entre nous n'aurait osé, il saisit le coude du MaHaRaL et se fit conduire près du prodige qui, fit-il savoir d'une voix forte, l'avait tenu plus éveillé encore que l'espoir de voir des habitants sur la lune, qui était pourtant la cause ordinaire de ses insomnies.

Le chambellan et toutes les têtes brillantes de la cour se massèrent à leur suite. Ce fut une troupe compacte qui déboucha sur la place de l'hôtel de ville à bonne distance de Golem.

La grimace de l'Empereur fut plaisante à voir, de même que les exclamations de répugnance qui jaillirent dans la noblesse. De fait, Golem était encore recroquevillé dans la

222

position de la nuit. Sous la chaleur du premier soleil, il avait perdu sa pellicule de givre. Sa glaise paraissait aussi visqueuse et déplaisante que les berges de la Vltava lors des basses eaux, et l'on distinguait à peine sa tête, enfouie et comme fondue dans la mollesse suintante de ses bras.

Rodolphe s'avança avec précaution. Accompagné du chambellan et de quelques gardes portant la lance à bas, il fit le tour de Golem à bonne distance. Le reste des courtisans demeura en retrait. Leurs yeux ironiques nous dévisageaient autant qu'ils guettaient la masse bizarre du monstre.

Une fois son tour accompli, Rodolphe se rapprocha du MaHaRaL. La bouche déçue, il déclara :

— C'est très laid et ça ne bouge pas.

Comme à son habitude, notre Maître ne laissa rien paraître. Il s'approcha de Golem. Là, prenant soin de tourner le dos à l'Empereur et à la cour, d'un geste de la main que nous connaissions désormais, il frôla la glaise de Golem.

Il n'y eut, cette fois, aucune des luminescences extraordinaires auxquelles nous avions assisté la veille avant la bataille. Mais Golem s'éveilla.

Avec une souplesse peu imaginable, il se déploya et fut debout, énorme et effarant.

Rodolphe demeura sans voix. Sa bouche béa sur son large menton. Ses yeux peinaient à croire ce qu'ils voyaient.

De petits glapissements d'effroi retentirent dans la foule de sa cour.

En vérité, nous étions nous aussi sidérés dès que Golem s'animait. Il fit quelques pas maladroits. La main levée du MaHaRaL pivota. Comme s'il était conduit par un fil invisible, Golem pivota à son tour. Il fit face à l'Empereur et à ses courtisans. Ils découvrirent avec stupéfaction les quatre lettres de son front, les pierres de ses yeux et l'absence de bouche.

Cette masse colossale, ces membres énormes et difformes, ce visage sans rien d'humain terrifiaient. L'Empereur recula de trois pas, et sa suite de deux fois plus.

Rodolphe demanda au MaHaRaL :

— Êtes-vous sûr qu'il vous obéit bien ?

— Par la grâce du Saint-béni-soit-Il, Golem n'est rien d'autre que ma volonté.

Pour le prouver, le MaHaRaL baissa la main et ordonna paisiblement :

— Va et salue notre Empereur, qui nous aime et nous protège.

Golem s'élança aussitôt en direction de Rodolphe. À le voir approcher, la terreur saisit l'Empereur autant que la noblesse. Ils se mirent à reculer tandis que Golem avançait. Des cris jaillirent. Les gardes du souverain pointèrent leurs lances mais reculèrent encore plus vite.

Des rires mal étouffés fusèrent parmi nous. Le chambellan les entendit et nous jeta un regard fulminant. D'un mouvement élégant, il parvint à ralentir la retraite de Rodolphe. Il lui murmura à l'oreille. L'Empereur se mordit les lèvres et s'immobilisa. Golem aussitôt l'imita. Sa masse oscilla. Sa jambe droite plia. La glaise de son genou épousa le sol et il inclina cérémonieusement sa tête énorme.

La bouche toujours béante, Rodolphe demeura dans un silence subjugué. Son visage était sans beaucoup plus d'expression que celui de Golem. La haute silhouette de notre Maître n'avait pas bougé. Il tenait maintenant les mains refermées l'une sur l'autre devant lui.

Comme Golem demeurait dans son salut, un soupir s'exhala de la vaste poitrine de Rodolphe. L'Empereur se réanima, une sorte de rictus amusé plissa ses lèvres. D'une voix forte, à l'attention de Golem et, comme si la puissance de sa voix un peu aiguë allait traverser l'épaisseur de la glaise, il s'écria :

— C'est bien, Golem! Moi aussi je te salue. Maintenant, tu peux te relever.

Il joignit à ses paroles ce geste avec lequel si souvent il congédiait ses visiteurs.

Rien ne se passa. Golem demeura dans sa posture respectueuse.

Rodolphe répéta son geste avec plus d'énergie. Plus bruyamment, il lança :

— Allez, debout!

Un silence embarrassé souligna l'impuissance de ses mots.

Rodolphe s'approcha. Étant parvenu à déchiffrer les quatre lettres sur le front de Golem, il cria :

— ÈMET! ÈMET! Allez, debout! Lève-toi, je le veux.

Il gesticula. La colère conférait à ses mouvements une énergie que notre Maître jugea bon d'apaiser. Il s'approcha et, d'un ton doux, lui dit :

— Cela ne se peut, Votre Majesté. Golem est la volonté de celui seul par qui il vient dans le monde des hommes.

Rodolphe ne répondit pas sur-le-champ. Il considéra la tête basse de Golem en essayant de bien comprendre ce que ces mots signifiaient. Puis il se tourna vers le MaHaRaL avec étonnement.

— Et personne d'autre?

— Personne d'autre, Votre Majesté. Sinon l'Éternel Lui-même.

— Votre pouvoir à vous, rabbi, et uniquement le vôtre?

— Oui, sire.

— Et si vous lui ordonnez d'aller démolir mon château il le fera?

— Il ne le fera pas, car pourquoi en exprimerais-je le désir?

— Quand on a le pouvoir de marcher sur le monde, on a le désir d'user de ce pouvoir.

— C'est selon qui l'on est, Votre Majesté. On peut désirer le pouvoir par goût d'être le Maître. Ou être le Maître et user du pouvoir pour demeurer en paix.

Rodolphe laissa passer un peu de temps afin que les mots fraient leur chemin en lui. Puis il approuva avec un sourire.

— C'est bien dit.

— Ici, insista le MaHaRaL, nous n'aimons que le pouvoir de la paix, Votre Majesté. Celui qui nous protège contre ceux qui ont pris goût à nous tuer.

Ces paroles étaient assez fortes pour que chacun puisse les entendre.

— Moi aussi, j'aime la paix, déclara Rodolphe. Il suffit bien des Turcs pour n'aimer que la guerre.

Rodolphe souriait, ce qui lançait son menton en avant. Puis un air de ruse passa dans le feu sombre de ses yeux. Il demanda :

— Que se passerait-il si Golem venait à perdre ces lettres sur son front ?

— La boue de Golem est née du Verbe, elle retournerait au silence, répondit notre Maître sans détour.

Et, sans attendre de réplique, sa paume droite eut un simple mouvement. Golem redressa la tête, puis toute sa taille.

Le MaHaRaL laissa passer quelques secondes, observant les pensées qui couraient sur les visages du chambellan et des courtisans les plus proches. Puis il demanda :

— Mais qui saurait lui enlever ce Verbe qui le tient debout ?

Ce fut alors que la visite de l'Empereur s'achevait, dans la confusion des attelages et les manifestations d'impatience des courtisans, qu'une voix lança mon nom :

— David Gans!

Je me retournai et reconnus le visage inoubliable de Tycho Brahé. La fuite du Danemark l'avait vieilli mais, à mon grand plaisir, il me serra contre sa large poitrine avec un enthousiasme qui valait le mien.

— Ah! s'exclama-t-il, si je n'avais de mes yeux vu ton MaHaRaL et son Golem, je ne pourrais pas le croire!

Il paraissait moins impressionné que d'autres. Néanmoins, je connaissais son orgueil. Tycho était de ces hommes qui n'auraient voulu pour rien au monde paraître admiratifs d'une œuvre qui ne sortait pas de leur esprit.

Ses sourcils se froncèrent. Son ton se fit grondeur :

— Cela fait des mois déjà que j'observe le ciel depuis ce château de Benatek. Ce n'est qu'à une heure de Prague. Pourquoi n'es-tu pas venu me voir? J'aurais besoin de tes traductions.

J'hésitai à lui confier la vérité. Mais à quoi bon? Maintenant que Golem était là, je préférais le plaisir de lui annoncer ma visite pour bientôt.

— Benatek n'est pas aussi beau que l'Uraniborg de Venusia, cependant on y fait un bon travail.

Il eut une grimace en direction du carrosse de Rodolphe qui s'éloignait, m'agrippa le bras pour me serrer contre lui et parler à voix basse :

— Ce vieux fou fait tout ce que je lui demande. C'est mon Golem à moi. Il faut en profiter tant que ses caisses sont pleines. Ce qui ne saurait durer.

Puis, me faisant sursauter, il héla un jeune homme qui l'attendait au pied de sa voiture. Un jeune homme mince, la mine maladive mais le regard brillant d'intelligence. Il portait l'habit noir et sans fioriture que j'avais vu si souvent dans les pays du Nord. Le sien n'était pas nouveau et déjà bien râpé.

— Viens que je te présente Kepler! s'écria Tycho. C'est une tête rare et bien faite qui ne pense que mathématiques. Kepler effectue des calculs pour moi. Avec ce que je lui ai confié, il a de l'ouvrage pour vingt ans.

Kepler me salua avec cette distance que je lui ai, par la suite, toujours connue. Il n'y avait pas plus dissemblable de Tycho que lui. Il n'avait ni le goût du spectacle ni celui de l'extravagance. Et peut-être bien qu'il ne possédait pas non plus la tolérance et même l'intérêt amical de Tycho envers les Juifs.

Par la suite, je me rendis compte qu'ils s'accordaient cependant sur des points bien suffisants. Tous les deux partageaient une passion exclusive pour la connaissance et la science des étoiles, ainsi que l'ambition immodérée d'être les plus savants. Et, à leur manière jalouse et secrète, ils s'admiraient mutuellement.

Le salut de Kepler fut raide et sans sourire. À mon étonnement, il ne montra aucune curiosité particulière pour le Golem ou le MaHaRaL. C'est Tycho, avant de repartir, incliné par la vitre de sa voiture, qui me demanda, en frappant doucement son nez de cuir du bout de l'index :

— Bien sûr, tu ne connais pas le secret de ton MaHaRaL, David Gans ?

— C'est un secret que vous connaissez, seigneur Brahé, répondis-je en riant. Puisque vous en savez autant que moi sur la Kabbale.

Le rire de Tycho rugit sans entamer la moue de Kepler. Puis Tycho, baissant la voix, ajouta :

— S'il est un conseil que je puis te donner, c'est de veiller à défendre un tel secret. Ce vieux fou de Rodolphe ne songe qu'à vous le prendre. Et demain ou après-demain, toute l'Europe se pressera ici pour admirer votre Golem. Eux aussi ne songeront qu'à une chose : voler votre secret. Vous ne connaîtrez pas de répit.

3.

Tycho avait raison. Les mois et même l'année tout entière qui suivirent le prouvèrent.

Dès les premiers jours de la vie de Golem, le MaHaRaL édicta une règle simple : Golem veillait au cœur de notre ville, il était inutile de l'animer quotidiennement, puisque aucun danger ne nous menaçait. C'était une mesure de sagesse. Hélas, elle devint vite impossible à appliquer.

Il se passa à peine un shabbat avant que se montrent les curieux. Bravant le gel, la pluie, les routes incertaines, la fatigue, les premiers arrivèrent des villes proches. Puis, comme si la nouvelle de la naissance de Golem avait couru avec les nuages, ce furent des cohortes d'enfants de Sion, élèves des yechivot de Pologne ou d'Allemagne, qui voulaient pieusement admirer l'œuvre du MaHaRaL.

Ce qu'ils découvraient les plongeait dans une immense déception. Sur la place de l'hôtel de ville, Golem n'était qu'une énormité de boue terne qui n'impressionnait que par sa laideur.

Tous voulaient voir Golem en mouvement.

Le bourgmestre Maisel se fit leur messager compréhensif et tenta d'intercéder auprès du MaHaRaL, arguant que c'était de bonne politique pour nous. La réponse de notre Maître tomba tel un couperet. Ce qu'il avait fait pour la curiosité de l'Empereur était impossible à répéter pour tout un chacun.

— Croyez-vous que Golem soit comme ces singes qu'exhibent les bateleurs sur les places de marché? Honte à vous, si cela vous vient à l'esprit. Golem est le Verbe et la puissance du Saint Nom.

Après quoi il s'enferma dans le klaus pour plusieurs jours, refusant de s'adresser à quiconque, même à nous, ses disciples.

Cependant, les curieux continuèrent d'affluer, et on trouvait parmi eux un nombre de plus en plus important de Gentils. Ceux-là montraient une déception bruyante et la rumeur commença à courir que Golem n'était qu'une supercherie.

Le bourgmestre Maisel s'en alarma et réclama un entretien au MaHaRaL. Quand il eut exposé son souci, notre Maître lui répondit :

— Qu'ils croient ce qu'ils croient. Que nous importe ?

— Plus qu'il n'y paraît, Haut Rabbi. À nouveau on murmure que les Juifs sont des menteurs et des charlatans. Bientôt ceux qui nous détestent parviendront à ranimer la vieille haine. Ils voudront prouver leurs accusations et nous irons de nouveau vers des violences. Nous l'emporterons, puisque Golem est invincible. Mais, par notre attitude, nous aurons laissé mourir la paix et fait couler le sang, alors que nous avons promis à l'Empereur que Golem serait un instrument de justice.

L'argument ébranla le MaHaRaL.

Le lendemain, malgré son déplaisir, dans la lueur de l'aube, alors que nous nous rendions à la synagogue pour la première prière, nous le trouvâmes devant Golem debout. Le MaHaRaL gardait les yeux et la bouche clos. On l'aurait cru endormi. Pourtant, la prudence nous incita à ne pas approcher. À dix pas, l'air de la place se faisait irritant et difficile à respirer.

Un peu plus tard, notre Maître annonça que, désormais, à l'exception des jours de shabbat où la ville serait fermée à tout étranger non juif, Golem se tiendrait debout, allant et venant dans nos rues du lever au coucher du soleil, après quoi, durant la nuit, il se montrerait comme endormi.

Maisel demanda :

— Peut-on lui donner des ordres ?

— Le Saint Nom donne des ordres, répondit avec humeur le MaHaRaL. Nous, nous prions pour savoir bien les accomplir.

C'est ainsi que l'on s'accoutuma à voir Golem debout, immobile, ici ou là, puis se mouvant sans but d'une rue à une autre, au risque de renverser une carriole, de bousculer une mule, d'écorner un coin de maison.

Pour les enfants, ce devint un jeu que de courir devant lui afin de prévenir de son passage. On s'habitua à leurs cris qui résonnaient avec leurs rires : « Golem ! Golem ! Attention, Golem ! Golem ! »

Comme l'avait prévu le bourgmestre, les rumeurs de mensonge cessèrent. Les curieux affluèrent en plus grand nombre.

Prague se transforma en un étonnant spectacle. Les visiteurs nous parvinrent des plus lointaines côtes du sud de l'Italie, de France, d'Angleterre ou même des rives de la mer russe. Parmi eux se trouvaient des savants en toutes sciences, des hommes et femmes de toutes croyances.

Tous avaient la même soif : voir Golem s'agiter, dormir, se réveiller. Sa laideur les impressionnait, mais ils ne pouvaient s'empêcher de l'aimer un peu.

Quelques-uns s'enhardissaient à le frôler. D'autres se faisaient une gloire de gratter, ici ou là sur son corps, un peu de boue en guise de souvenir. Afin d'éloigner ces malappris, le bourgmestre Maisel désigna des gardes qui surveillèrent les jambes de Golem lorsqu'il se tenait immobile.

Si tous les curieux avaient ce mouvement d'effroi, cette crainte de sa puissance et une absolue curiosité devant son énigme, Golem déclenchait également toutes sortes de réactions. Des femmes défaillaient à seulement le sentir, des enfants lui lançaient des lazzis cruels. On en voyait qui pleuraient de peur et ne parvenaient jamais à le regarder. Il fallut en éloigner d'autres qui le considéraient comme une sorte d'animal bizarre et ne pouvaient s'empêcher de le traiter de démon et de lui lancer des pierres.

La plupart déploraient qu'il n'eût pas de bouche pour parler, et tous rêvaient de lui donner des ordres. Les ennemis des Juifs les plus acharnés cherchèrent à entraîner les foules en assurant que Golem n'était qu'une illusion malsaine, qui, bientôt, mènerait le monde vers un nouveau chaos.

Ici ou là commencèrent d'apparaître des harangues en ce sens, parfois même jusque dans nos rues. Les preuves contraires, la paix, la réalité bien massive de Golem, ne les désarmaient pas.

Aux beaux jours du printemps, de nouvelles plaintes résonnèrent contre Golem. Elles ne provenaient pas des étrangers mais des habitants de nos rues et se déclarèrent au Conseil. Les déambulations incessantes de Golem suivi de ses cohortes de badauds excédaient. Les va-et-vient de Golem s'avéraient souvent dangereux et inutiles. Plus d'une fois une femme ou un enfant avait manqué d'être écrasé par sa masse. Ici ou là, il avait détruit des murettes, renversé des étals. La vérité était que, désormais, Golem compliquait la vie de la communauté sans se montrer utile.

Une fois encore, Maisel, qui depuis toujours s'était révélé un homme de grandes ressources, trouva la solution.

— Serait-il inconvenant que Golem participe aux plus durs travaux de notre cité? demanda-t-il avec respect au MaHaRaL.

Notre Maître se montra d'abord sidéré par cette question. Il souffla, incrédule :

— Vous voulez faire de Golem un outil?

Le bourgmestre Maisel exposa les griefs qui s'élevaient contre Golem.

Le MaHaRaL abaissa à demi ses paupières et demeura d'abord sans répondre. Puis une réplique siffla entre ses lèvres :

— Golem leur offre une paix qu'ils n'ont jamais connue et ils trouvent cela inutile?

— Il faut les comprendre, Haut Rabbi. Bien sûr, ils sont reconnaissants à Golem de leur apporter la paix et la sécurité. Cependant, il leur faut apprendre à vivre avec lui autant qu'avec la paix.

— En faire un outil, c'est en faire un esclave. Dieu m'épargne d'entendre ce qu'ils voudront en faire ensuite !

— Si Golem nous aidait à construire un nouveau quai de bois sur la Vltava, un port qui protégerait nos barques de commerce, ne travaillerait-il pas à la paix et n'assurerait-il pas notre sécurité aussi bien qu'en se battant? L'Empereur nous serait reconnaissant du bon commerce que nous tirerions d'un nouveau port. Prague n'en serait que plus riche, et lui aussi. Ses caisses sont vides. On raconte qu'il ne parvient plus à payer les travaux sur lesquels il s'est engagé, ni même les emplois qu'il a distribués d'une main trop généreuse. Nous lui offririons une dîme qui ne nous coûterait pas beaucoup mais qui le tirerait d'affaire. Autrement dit, il serait en dette envers nous et se montrerait reconnaissant.

Le MaHaRaL grinça :

— Détrompe-toi, bourgmestre Maisel : un empereur n'est jamais en dette envers un Juif et encore moins

233

reconnaissant. Et faire de Golem votre esclave, c'est un peu plus le faire à notre image. Qui peut savoir où cela nous conduira ?

À voir la mine du bourgmestre en quittant notre klaus, nous crûmes que le MaHaRaL avait donné sa réponse, et qu'elle était négative.

Pourtant, le lendemain, à notre grande surprise, notre Maître fit savoir que Golem apporterait désormais son soutien aux travaux ordonnés par Maisel.

Ainsi assista-t-on à un nouveau spectacle extraordinaire. Golem, debout dans la boue du fleuve, luttant contre un courant impuissant contre sa force. À lui seul, dans cette partie marécageuse où la ville juive jouxtait les eaux, il entreprit de construire des digues magnifiques contre les crues redoutées de la Vltava, des pontons et des havres de transbordement que pourraient atteindre les charrois les plus lourds sans s'enliser.

Depuis longtemps Prague rêvait d'un pareil équipement, sans jamais oser en entreprendre l'ouvrage, par crainte de ne pouvoir le mener à bout.

Bien sûr, jour après jour dans l'été resplendissant, la cohorte des curieux s'étira sur les rives du fleuve afin d'assister à ce nouveau prodige : Golem, gigantesque au milieu des flots, charriant les troncs, creusant, bâtissant avec une aisance et une habileté qui ne pouvaient révéler qu'une intelligence divine.

Plus que jamais sa vue troublait. On ne pouvait s'empêcher de l'admirer. Sa laideur, sa maladresse apparente se muaient en un pouvoir qui subjuguait. Et quand, au détour d'une position, on voyait briller les quatre lettres fichées sur son front, un frisson vous saisissait comme si le silence de sa face sans bouche vous parlait avec une voix terrible.

Longtemps je me suis demandé pourquoi le MaHaRaL avait finalement accepté que Golem devienne notre outil. Au bourgmestre Maisel il avait dit fort justement : « Faire de Golem votre esclave, c'est un peu plus le faire à notre image. Qui peut savoir où cela nous conduira ? »

Comme toujours, notre Maître avait dès le premier instant pressenti le danger et vu le chemin qui allait tout droit nous mener au malheur.

Aujourd'hui, qu'on me pardonne cette pensée qui n'amoindrit en rien la gloire aveuglante de sa mémoire, je songe qu'il a peut-être commis là l'unique faute de son existence.

Car sans cette faute, lecteur, en ce siècle de maintenant, tu verrais toi aussi, de tes yeux, ce prodige de Golem. Jamais ne serait arrivé ce qui est advenu et qu'il me reste, hélas, à te raconter. Bien des paix auraient remplacé des guerres et notre mémoire ne serait pas ce qu'elle est.

Alors, pourquoi ?

Peut-être à cause de la plus insigne faiblesse : afin d'obtenir un peu de tranquillité pour ses études et de silence pour notre klaus.

Car les ruelles de notre ville devenaient invivables. Du monde y courait sans cesse, bruyant et sans respect, pour mieux approcher Golem. L'envoyer bâtir sur la rive du fleuve eut comme premier effet que le calme nous revint. La foule se pressa loin de notre klaus. La petite synagogue qu'appréciait tant notre Maître retrouva sa fraîcheur et sa paix. L'étude put enfin reprendre comme à l'ordinaire, alors que la vie de Prague tout autour de nos murs ne cessait d'être bouleversée.

L'afflux de visiteurs était devenu une aubaine pour les auberges, qui se multiplièrent comme des crocus au printemps. Golem faisait la richesse de tous, Juifs ou Gentils. Même ceux qu'il avait malmenés dans la bataille de son premier jour trouvèrent dans leurs mauvais souvenirs le moyen de rassasier la curiosité des étrangers. Ils racontaient leur défaite extraordinaire avec une quantité de détails qui gagnèrent en beauté au fil du temps.

Certains installèrent des guérites de bois autour de l'église du Saint-Esprit ou de la porte Paryzkâ. Ils y vendaient des billets qui permettaient d'y écouter ces contes.

Avant la fin de l'été de cette année 5360 depuis la création du monde par le Saint-béni-soit-Il, ou 1600 de l'ère chrétienne, des artisans du bois commencèrent à vendre des figures sculptées représentant Golem à l'œuvre dans des batailles ou dans le fleuve. Comme elles trouvèrent bien vite des acheteurs, il en fut produit de tailles variables, certaines recouvertes d'argent ou d'or. Puis on vendit une figure de Golem accompagnée d'un pot scellé de vase de la Vltava. On y trempait l'effigie de bois pour obtenir une représentation plus proche de la réalité...

Bientôt s'ajoutèrent d'autres désagréments. On découvrit que certains curieux se faisaient passer pour des Juifs afin de pénétrer chez nous, non par curiosité mais pour une cause plus criminelle.

Les hommes du bourgmestre surprirent d'abord un jeune Hongrois qui s'était égaré entre les voûtes sombres de la genizah, sous la vieille synagogue. Il avoua qu'il cherchait des rouleaux contenant le « secret de la naissance de Golem ».

Stupéfaits, soudain plus vigilants, on découvrit que les espions rôdaient par dizaines autour de nous. Tous avec la même obsession, cherchant à voler ou à corrompre. Certains venaient tout simplement du château de Prague, envoyés par l'Empereur lui-même. D'autres étaient à la solde des souverains du Nord ou même de l'Église du pape.

Il fallut organiser des rondes et une surveillance étroite de nos lieux sacrés. Finalement, notre klaus, qui venait à peine de retrouver son calme, fut gardé jour et nuit par quelques hommes en armes.

Tu comprendras, lecteur, que je trouvai ce moment parfait pour céder au désir que je retenais depuis si longtemps d'aller admirer le nouvel observatoire du seigneur Brahé. Je m'enfuis loin de ce tohu-bohu.

Au sommet d'une butte cernée de bouleaux, le corps principal du château de Benatek dominait une plaine fréquemment inondée si bien que l'idée était venue d'en faire une sorte de Venise de Bohême. On y voyait des canaux et des constructions ressemblant à la cité des Doges. C'est ainsi, sur le côté d'une place Saint-Marc en miniature et sous un campanile rose, que Tycho avait fait adjoindre treize salles de plain-pied. L'Empereur avait bataillé pour faire admettre les frais par son chancelier au Trésor. On disait aussi que la cour grondait contre le nouveau Mathematicus qui accaparait le château le plus extravagant du royaume de Bohême. Rodolphe avait ignoré les protestations, les travaux avaient été ordonnés. Les treize salles prolongeaient bizarrement le bâtiment d'origine, chacune munie de mécanismes de poids et contrepoids ouvrant les toits et faisant basculer les dômes.

Tycho vivait là sans famille mais entouré, outre Kepler, d'une bonne quinzaine d'assistants et d'autant de serviteurs.

Il m'accueillit aussitôt qu'on lui annonça mon nom. J'en fus un peu flatté en me rappelant qu'à Venusia il m'avait fait patienter quatre jours. Là, il m'ouvrit les bras et, sans attendre, me demanda avec gourmandise des nouvelles de Golem. Comme tout le monde, il était allé le voir à l'œuvre dans la Vltava et en était revenu subjugué.

Sa moustache de fauve sautilla d'ironie lorsque je lui racontai la folie qui régnait dans Prague et, comme il

237

l'avait prédit, que nos rues commençaient à s'infester d'espions cherchant la matérialité d'un secret qu'ils ne pourraient jamais découvrir.

Il me raconta que l'empereur Rodolphe lui avait demandé l'une de ses lunettes à loupes approchantes afin de l'installer sur un balcon du château. La rumeur prétendait qu'il y passait quantité d'heures à observer Golem. Il en avait conclu que nous lui avions caché la vérité de sa naissance. Golem n'était pas né de la boue par l'œuvre MaHaRaL. Il était l'un de ces habitants de la lune qu'il avait déjà aperçus durant ses observations nocturnes. Le secret de notre Maître avait été de savoir comment le transporter à travers l'éther !

Riant très fort, Tycho m'entraîna dans son palais en clamant que Rodolphe était plus fou chaque jour.

— En outre, il ne me paye pas. Je n'ai toujours pas vu le premier florin des trois mille qu'il m'avait promis pour mon arrivée ici. Mais qu'importe, puisque, apparemment, personne dans ce pays ne s'attend à être payé s'il travaille pour la volonté de notre très glorieux et auguste Empereur.

De fait, je découvris qu'ici tout autant que sur Venusia rien n'avait modéré l'ambition de Tycho. Les souterrains du château avaient été transformés aussi radicalement que son volume. Je retrouvai, reconstitués presque à l'identique, le vaste *herbarium* aux mille plantes et la magnifique bibliothèque de manuscrits anciens. Le globe de cinq pieds de diamètre, gravé du zodiaque, de l'équateur, des cercles tropiques, trônait en son centre, exactement comme au Danemark. Depuis vingt ans, le prince des astronomes y avait reporté avec précision, en longitude, latitude et dans la hauteur céleste, un millier d'étoiles découvertes durant ses observations. Il n'était pas de jour sans qu'il y note l'évolution de leurs mouvements.

Guettant ma surprise, Tycho me souffla :

— J'ai tout emporté, en secret, de nuit, en hiver, avec cinq navires. La folie de Rodolphe a du bon. Quand le roi du Danemark lui adresse des plaintes, il fait la sourde oreille. Il est persuadé que ce sont des manigances de jaloux pour voler mes calculs. Il ne comprend goutte à ce que je fais, mais je lui suis devenu aussi précieux que l'or. Gloire à celui qui sait si bien faire la bête quand il le faut !

Dans une crypte proche, on achevait de construire des clepsydres dont Tycho me vanta la précision. Elles devaient permettre de ne pas varier d'une seconde dans les calculs mesurant l'orbe des planètes. Au-delà, je découvris un laboratoire de chimie qui ressemblait beaucoup à un antre d'alchimiste et où l'on cherchait à fondre de nouveaux matériaux.

— Pour mes machines, souffla Tycho. Et l'on trouve ici des métaux inconnus dans le Nord.

Sur une planchette reposaient diverses formes de nez aux couleurs et épaisseurs variées. Tycho devina mon regard et ricana sans un commentaire.

Comme à Venusia, encore, une fabrique de papier jouxtait l'imprimerie où, chaque lendemain d'observation, on imprimait les relevés dans une sorte d'almanach infini. J'avais déjà participé à ce travail durant mon séjour dans le Nord et marquai de l'intérêt pour les dernières pages qui séchaient sur les clayettes près de la presse. Elles embaumaient ce parfum d'encre qui m'a toujours semblé être l'odeur même de la science.

Tycho m'agrippa le coude.

— Ce peut être ici ton royaume autant que tu le désires, David Gans. Et si tu t'entends un peu avec le petit Kepler, tu pourrais faire des mathématiques avec lui. Tu n'y perdrais ni ton temps ni ton plaisir.

Je murmurai un remerciement prudent, qui n'était ni un oui ni un non, masquant de mon mieux la force de la tentation. Et comme je voulus dégager mon coude, Tycho m'agrippa plus fort. Son nez postiche brillait, un peu de travers.

— Tu as à faire ici, David Gans. N'oublie pas que ton peuple avait vu juste avant tout le monde. Ceux qui rédigeaient votre Talmud pensaient que Ptolémée se trompait en considérant la Terre au centre de l'Univers. Mais ils aimaient tellement Aristote qu'ils n'ont pas osé le contredire. Reste ici et rattrape le temps perdu. Écris sur Copernic, écris sur moi, et tu rendras justice aux tiens !

Nous entrâmes enfin dans l'intérieur des dômes, où des poulies commandaient des trappes conçues avec une extrême précision pour ne laisser entrevoir que des zones particulières du ciel. Chacune de ces treize nouvelles pièces d'observation contenait une de ces machines qui m'avaient déjà fasciné à Venusia : un demi-cercle azimutal, un cercle parallactique, des armilles zodiacales, des règles ptolémaïques, des sextants aux cuivres magnifiques. Dans la plus vaste, un quadrant mural de dix pieds de rayon permettait de mesurer la position du Soleil comme jamais personne ne l'avait encore fait. Au cœur de cette machine, entièrement imaginée par lui, Tycho s'était représenté en taille naturelle et dans cet énorme manteau fourré qu'il portait les nuits de travail. Sa mise en œuvre nécessitait l'attention de trois assistants aguerris.

De me sentir de retour dans cette ambiance de science et d'ingéniosité me procura une joie immense. Si bien que le soir même j'acceptai de demeurer à Benatek pour participer à une observation de Mercure.

Au matin du lendemain, alors que mes paupières ne tenaient plus qu'à peine ouvertes, le jeune Kepler, que j'avais trouvé si revêche lors de notre rencontre, m'approcha avec une amabilité nouvelle.

— Tycho m'a montré le travail que vous avez fait pour lui à Venusia. Il est meilleur que je l'avais imaginé.

240

Kepler parlait en latin et d'une curieuse manière, sans presque ouvrir la bouche. Ses sourcils bien horizontaux et fournis de poils noirs épais ne bougeaient jamais. Ses yeux voyaient mal, car il avait été atteint de petite vérole alors qu'il n'avait pas cinq ans. Tout cela conférait à son visage une expression permanente de grande tristesse plus que de sévérité, comme je l'avais cru d'abord. Ce matin-là, je sentis bien qu'il cherchait à être aimable avec moi.

Ah! lecteur, tu peux me croire quand je t'assure n'avoir pas toujours été faible devant les flatteries. Cependant, je ne sus jamais être indifférent lorsqu'elles me venaient de ceux que j'admirais. Ces aigles volant bien au-dessus de mon oie, ces hommes qui furent dans le ciel de la science aussi scintillants que les étoiles qu'ils surveillaient.

— Tycho est plein de ressource lorsqu'il s'agit d'observer, mais il ne pense pas toujours avec la liberté d'esprit qu'il conviendrait. Il complique là où la perfection divine demeure simple... Il me demande de calculer la trajectoire précise de Mars. Il me faudrait de l'aide dans mes calculs et j'aimerais qu'elle vienne de vous.

J'acceptai avec une joie d'enfant, fasciné par la lumière des astres lointains, alors que le malheur et la douleur, à nouveau, rampaient tout près de moi.

4.

Avec un grand bonheur, je travaillai ainsi auprès de Tycho et de Kepler jusqu'à l'automne. Je pris l'habitude de ne revenir à Prague que pour le shabbat et nos jours de fêtes. Ces jours-là, notre ville étant close aux étrangers, le tumulte s'apaisait un peu.

Deux nuits avant Kippour, des nuages voilèrent le ciel de Benatek. Après avoir attendu en vain une éclaircie pour établir quelques relevés, je décidai de rejoindre Prague sans plus attendre pour m'y préparer au jour très saint du Pardon.

Un épais brouillard pesait sur la Vltava et voilait l'aube lorsque j'approchai de Prague. Seul le bruit du fleuve et le frappement de mes semelles demeuraient perceptibles. Le sommeil retenait encore les animaux dans les basses-cours et les enclos. C'était l'un de ces moments où l'on marche avec l'exaltation vaniteuse d'être une manière de guetteur du monde.

Sur la rive, le brouillard devenait si dense que le jour parvenait à peine à éclairer. Je suivais la lueur plus pâle de la terre du chemin, le pas prudent. Soudain, un rire résonna, bref et limpide, dans l'immensité terne.

Je m'immobilisai pour écouter. Je ne perçus plus rien d'autre que le mouvement lourd du fleuve, quelques bruissements de poules d'eau et de canards.

Je repartis, me convainquant d'avoir été l'objet d'une illusion. Je gardai cependant le pied plus léger et guettai le silence. Je n'avais pas fait vingt pas que le rire se manifesta encore. Plus fort. Plus près, aussi, dans la grisaille devant moi. Et assez net pour que je reconnusse le rire d'une femme. Un de ces rires qui enchantent l'oreille et vous allègent la poitrine.

J'en imaginai sans peine la cause. Craignant l'embarras d'une rencontre avec des amants, je quittai le creux du chemin pour marcher plus discrètement dans l'herbe du bas-côté.

Je n'eus pas à avancer beaucoup pour que ce scintillement de joie me fasse à nouveau tressaillir. Cette fois, je distinguai plus nettement sa provenance. Il venait de la droite, tout au bord de la rive. Des bruits l'accompagnaient qui n'étaient plus ceux, naturels, du fleuve.

Je ne résistai pas longtemps à la curiosité. Je scrutai le brouillard autour de moi. Rien n'apparaissait que les formes floues des boqueteaux d'aulnes qui parsemaient la berge.

Progressant encore, le chemin s'élargissait et devenait meilleur. Je reconnus cette voie nouvelle qui avait été tracée pour les charrois rejoignant le port bâti avec l'aide de Golem. Les gros piliers des pontons apparurent sur ma droite. J'étais beaucoup plus près de la ville que je le croyais et tout ici m'était familier.

Le rire jaillit à vingt ou cinquante pas devant moi. Avec un tel éclat qu'il m'immobilisa.

Je les vis.

Une ombre bougea, si haute et si large que je l'avais prise pour l'un des bosquets isolés. Elle se déplaça un peu sur le côté, parut reculer avant de diminuer de moitié de hauteur. Je perçus alors la douceur d'une voix de femme. Mon cœur battit jusque dans mes tempes tandis qu'une forme s'esquissait dans le flou du brouillard.

Golem.

Je m'avançai avec beaucoup de précautions, la gorge nouée. Un empilement de barriques neuves et de planches corroyées me donna un abri. Face à Golem, j'aperçus Éva.

Enroulée dans un grand manteau qui ne dégageait que sa tête, elle était assise sur l'un des nouveaux pontons. Golem se tenait devant elle. La masse de sa face se penchait au-dessus d'Éva comme une roche suspendue. Il tendit sa main énorme. Éva y posa la sienne. Minuscule tache blanche sur l'amas de glaise.

Un murmure tranquille me parvint, incompréhensible. Éva parlait. En réponse, Golem balançait la tête comme pour montrer qu'il comprenait. D'entre le flou de la brume, je distinguai la lueur pâle des lettres sur son front et crus saisir un peu de l'éclat de ses yeux de pierre. Mais le plus étrange était l'impression de percevoir, sur cette face sans bouche abrupte comme une falaise, une manière d'émotion.

C'était impossible, bien sûr. Une illusion. Un effet de la brume qui me laissait croire à un frémissement, comme lorsque des pensées courent sous la chair d'un visage ordinaire.

Éva cessa de parler. Il y eut un instant de silence seulement comblé par les remous du courant contre la masse de Golem. Il ferma la main en un poing qui atteignait presque la taille d'un homme et qui pouvait en fracasser plusieurs d'un coup. Il s'approcha tout près d'elle. Doucement. Alors, avec une tendresse qui me déchira la poitrine, elle inclina la tête sur la glaise de ce poing monstrueux.

Aujourd'hui encore je suis étonné de n'avoir pas hurlé. L'esprit en feu, la fureur et la honte m'embrasant les entrailles, je fermai les yeux, refusant de voir.

Un mouvement me les fit rouvrir. Golem avait redressé le buste. Son poing s'était éloigné d'Éva et disparaissait à demi dans le brouillard. Son énorme bras glissa avec vivacité au-dessus de l'eau, jusqu'à ce que sa main se suspende sur la surface ainsi qu'une ombelle difforme. Puis, avec la délicatesse d'une feuille poussée par la brise, elle se posa sur la surface du fleuve et s'y enfonça sans en émouvoir le courant.

Il la maintint ainsi un petit instant. Éva scrutait l'eau sans bouger. Peut-être lui parlait-elle, mais je ne l'entendis pas.

Je tressaillis quand la main de Golem se leva. Cette fois, elle déchira l'eau dans un jaillissement ruisselant avant de se poser, vive et agile, tout à côté d'Éva. Les planches du ponton vibrèrent, la brume tourbillonnait comme une fumée. Golem déplia ses doigts géants. Dans la boue de sa paume apparurent des poissons qui se tordaient pour rejoindre les eaux, des crapauds et grenouilles qui bondirent, des serpents sinuant entre de petits crabes à la carapace rouge qui dressaient leurs pinces dans le vide.

Le rire d'Éva tinta.

Elle attrapa une grenouille pour l'enfermer entre ses paumes, souffla un baiser sur sa chair grumeleuse avant de la redéposer sur le poignet de Golem. La grenouille y fit quelques bonds, remontant presque jusqu'à son épaule, avant de plonger dans le fleuve.

Je perçus à nouveau le murmure d'Éva. Golem paraissait l'écouter avec une attention extrême. Les quatre lettres de son front à nouveau bien visibles.

ÈMET! Vérité!

Il me sembla qu'elles diffusaient un halo de lumière dans la brume. Mon cœur tapait et une sorte de rage me rongeait la gorge. Quelle pouvait être la vérité qui me brûlait le regard en cet instant?

Un vertige me saisit. Je me dressai avec l'idée de fuir. Mes brodequins crissèrent sur des cailloux.

Le plus stupéfiant fut que Golem m'entendit avant Éva. Dans un bouillonnement d'eau, il se dressa de toute sa taille. La peur m'emporta, je dressai bêtement mes poings vers lui. Éva me reconnut et lança mon nom.

— David !

Golem s'écartait déjà. En quelques enjambées, il disparut dans l'épaisseur du brouillard qui recouvrait la Vltava.

Éva fixa un instant le cœur du fleuve. L'ombre de Golem apparut, puis se dilua. Des éclats d'eau, un claquement de bois brisé, le cancan de canards... Je me rendis compte que je dressai l'oreille comme si je craignais d'entendre une plainte. Oubliai-je que Golem n'avait ni bouche, ni gorge, ni poumon, ni cervelle ?

Éva se tourna vers moi.

— David, pourquoi as-tu eu peur de lui ?

La tristesse de son ton me glaça. Elle s'engagea sur la passerelle qui liait le ponton à la rive. Avant même de bien voir son visage je savais que j'y trouverais des larmes.

La colère ne me quittait pas. Une fureur que je ne m'étais encore jamais connue, qui me dévorait l'esprit autant que la poitrine. Quand elle fut toute proche, au lieu de lui tendre les bras, je criai bêtement :

— Comment oses-tu ? Comme oses-tu te conduire avec lui comme s'il était un homme ?

La surprise la rendit silencieuse quelques secondes. Elle me dévisagea comme si elle comprenait à peine mes mots, puis secoua la tête.

— Je ne le traite pas comme un homme, David. Il est Golem.

Je hurlai encore.

— Mais tu lui parles. Tu ris avec lui. Tu... tu le caresses !

Encore elle fouilla mon regard en silence avant de sourire.

— Oui.

— Tu ne le peux pas ! Golem ne peut pas t'entendre. Il n'a pas d'oreilles. Il ne peut pas te comprendre.

— Tu as bien vu qu'il le peut. Il entend. Il me comprend.

— Non, ce n'est pas possible. Il n'a pas de langue. Le MaHaRaL l'a voulu sans langage et sans bouche. Golem est Golem.

— Golem est Golem, et il est vivant, David. Il a besoin de nous comme nous avons besoin de lui.

— Tu te trompes. Il n'est pas humain. On ne doit pas se comporter avec lui comme avec un homme. Il est une créature de l'homme.

Éva se retourna vers le fleuve, scruta la brume. Il n'y avait pas de mouvement et mes cris avaient fait taire les oiseaux qui s'éveillaient avec le jour montant. Elle me fit face à nouveau, franchit les quelques pas qui nous séparaient. Du bout des doigts, elle sécha ses larmes. Un sourire narquois, presque méchant, amincit ses lèvres.

— Alors, tu es comme eux ? Golem te fait peur car il te révèle à toi-même. Tu préfères croire qu'il est une chose ?

— Il n'est pas une chose. Il est Golem. Il est né du Verbe mais ne possède pas le Verbe. Seul celui qui possède la parole peut entendre le Verbe et devenir une créature de Dieu. Il est Golem. De la boue en forme d'homme à laquelle notre Maître a soufflé ce qu'il faut d'existence pour que s'accomplisse sa volonté : nous défendre des massacreurs.

— Tu t'exprimes comme mon père. C'est une sottise. Une sottise terrible qui montre combien vos cœurs sont fermés.

Je secouai la tête avec obstination.

— Comment oses-tu parler ainsi du MaHaRaL?

— Vous croyez tout savoir et vous ne savez pas. Golem est différent mais il est vivant. Je lui parle et il m'entend. Moi aussi, je l'entends, même s'il n'a pas de bouche. Je sens la vie qui circule dans sa boue. Il me comprend et, parfois, je le comprends. C'est ainsi et tu le sais. Tu en as eu la preuve sous les yeux.

Les mots d'Éva étaient des pointes acides. Elle avait raison, pourtant cette vérité me lacérait le cœur. Éva m'observa comme si mes pensées étaient aussi visibles sur mon front que les quatre lettres sur celui de Golem.

Elle murmura :

— Pourquoi ne peux-tu l'aimer comme un homme?

— Parce qu'il n'en est pas un. La Torah dit : Dieu a fait l'homme *comme* lui. Dans ce *comme*, il y a autant de différences qu'entre l'eau et la montagne. Golem est *comme* l'homme : entre lui et nous, la différence est insondable. Ne pas respecter cette différence serait un blasphème.

J'avais essayé de répondre avec calme. Mes paroles ne furent que vaniteuses et lourdes d'hypocrisie. En réponse, Éva libéra sa colère :

— Le blasphème, c'est ce que nous faisons de lui! Toi, tu ne sais pas et tu ne vois rien. Tu passes ton temps à observer les étoiles avec ce Danois sans nez, mais la vie qui s'écoule sous tes yeux, ici, tu ne la vois pas. Le mal que nous lui faisons sous tes yeux, tu ne le vois pas!

En écho à ses protestations, il y eut des bruits au milieu du fleuve. Avec le jour, le brouillard paraissait devenir plus brillant. Éva gronda encore :

— Golem est sans bouche et on ne peut entendre son cri. Mais je sais qu'il crie. Il nous appelle et nous demande de l'aide. Sa douleur est grande. Son humiliation est terrible. On le traite comme s'il était véritablement un tas de

249

boue. On a plus de considération pour la volaille d'une basse-cour que pour lui.

— Éva, Golem est Golem! Sa boue n'abrite pas le moindre sentiment!

Elle me jeta à peine un coup d'œil et ne jugea pas nécessaire de me répondre. Les larmes revinrent à ses paupières. Elle eut un sourire d'une infinie tristesse.

— Tu te souviens comme nous étions heureux de le voir, au tout début? Comme on le trouvait beau et laid à la fois? Comme il était étrange et magnifique sous le givre?

Elle serra son lourd manteau autour d'elle. Les yeux clos, elle murmura :

— Quand Bachrach était mon époux, il n'avait pas besoin de parler pour que je sente son affection. Et toi, quand ton cœur va vers moi, je le sais aussi. Pourquoi me tromperais-je quand je sens la tendresse de Golem?

— Éva...

Elle m'interrompit d'un geste.

— Mon père dit que je suis folle. Grand-père rabbi doit le penser aussi. Pourtant, c'est lui qui a mis sur le front de Golem le mot ÈMET, Vérité. Notre vérité devant celle de l'autre. Toi, j'aurais cru que tu comprendrais, David Gans. Oui, s'il en était un qui pouvait comprendre, oui, c'était toi. Mais je me suis trompée.

— Éva!

Elle s'éloignait déjà vers la ville. Le brouillard effaça mon appel aussi bien que sa silhouette.

Tu souris, lecteur. Tu as reconnu mon tourment mieux que je ne l'ai deviné moi-même ce jour-là.

Tu as raison. Il me fallut un jour et une nuit pour que je cesse de me détourner de cette vérité qui était inscrite au front de Golem. Ce fut le temps nécessaire pour que ma jalousie s'apaise et que le Très-Haut dessille mes yeux d'homme faible Éva avait dit vrai : la vie étalée sous mon regard, je ne la voyais pas.

Après la prière du matin, je ne pus m'empêcher de retourner près du fleuve. Je voulais voir Golem. Et j'espérais y retrouver Éva.

Elle n'était pas là. Le labeur avait recommencé sur les chantiers du bourgmestre Maisel. Golem allait et venait dans le courant du fleuve comme si rien ne pouvait l'emporter. Il y enfonçait d'énormes troncs qu'on lui apportait sur des barges et qui formaient les piliers d'un nouveau pont reliant les deux rives de la Vltava. La moitié de l'ouvrage était accomplie. Les charpentiers déjà frappaient les planches du tablier sur notre berge. Le bourgmestre avait promis à Rodolphe qu'il pourrait y traverser le fleuve en grand carrosse au prochain Noël. Il ne restait pas deux mois pour achever ce travail et jamais, dans l'Europe entière, on aurait vu un pont si vite réalisé.

De là où je me trouvais, je n'eus pas à tendre l'oreille pour percevoir les quolibets que lui lançaient les mariniers et les ouvriers. Des étrangers avaient loué des barques pour l'approcher. Plus amusés par l'apparence disgracieuse de Golem qu'impressionnés par sa puissance, ils y ajoutaient leurs moqueries. Tout joyeusement, ils agaçaient Golem comme on le fait avec un animal trop bien domestiqué pour pouvoir se rebeller. Ils raillaient jusqu'à sa puissance avec la désinvolture de ceux qui ne la craignent plus.

Éva avait raison : c'en était fini du respect que l'on devait à Golem.

Était-ce une excuse pour le traiter comme ce qu'il n'était pas ? Je l'admettais : il n'était ni une chose ni un outil. Mais humain, il ne l'était pas non plus !

251

La sagesse du MaHaRaL l'avait engendré, me répétai-je. Le verbe divin avait animé l'existence de Golem parce qu'il animait le savoir et la pureté de notre Maître. Golem désormais était sa volonté et l'arme qui maintenait notre paix. Un pouvoir, une puissance, mais rien qui pût contenir un sentiment humain. Cela ne se pouvait pas!

Éva se trompait. La mort de Bachrach, le dibbouq, la fuite d'Isaïe à Safed, toutes ces épreuves l'avaient bouleversée et l'égaraient loin du vrai et du juste!...

Ah, plus les heures passaient, plus mon trouble augmentait. Je retournai chercher un peu de paix et de sagesse dans le klaus. Espérant, en vérité, que le MaHaRaL m'accorderait un regard ou une parole qui me tirerait du chaos qui m'emportait.

J'y restai jusqu'au soir tard. J'y étudiai sans trouver de réponses aux questions qui me tourmentaient. Notre Maître restait invisible, enfermé dans sa pièce et sans apparaître parmi nous pour les prières.

Alors que la nuit était bien noire, je demeurai seul à lire encore sous la flamme ténue d'une chandelle. Comme cela arrive parfois alors que quantité de phrases ont déjà couru sous les yeux, quelques mots me frappèrent soudain aussi bien qu'une paume sur la joue.

Ils appartenaient au court rouleau que le très pieux et très sage rabbi Abraham ibn Ezra, béni soit son nom, avait rédigé en Espagne quatre siècles plus tôt. Ils demandaient :

« Comment peux-tu espérer que je sois parfait... alors que je suis plein de contradictions? »

Ce n'étaient que des mots simples. Mais pour le premier instant de ce jour, je ressentis un peu de paix. Je murmurai cette phrase à haute voix plusieurs fois. Elle exprimait si bien ma peine, mon regret et ma vérité.

Elle disait ce que j'aurais dû dire à Éva et que peut-être elle m'avait confié, sans que je veuille l'écouter.

Un frôlement, dans l'ombre de la salle derrière moi, me fit sursauter.

La barbe et la longue chevelure du MaHaRaL entrèrent dans la lumière chiche de ma chandelle. Du regard et de l'index, il m'adressa un signe que nous, ses disciples, nous connaissions bien et qui signifiait : Pas de salut, pas de question.

Il me tendit une bande de papier épais sur laquelle je reconnus son écriture. Je lus avidement.

« Dans le livre d'Enoch il est dit : L'archange Métatron, archange de la Présence et le plus haut placé sur la sainte échelle des Sefirot, invita rabbi Ismaël : Viens, je te montrerai où sont les esprits des Justes qui ont été créés et sont devenus. Viens et vois. Et ensuite sers-toi de tes yeux pour connaître l'esprit des Justes qui n'ont pas encore été créés. »

Je relevai le front. Le MaHaRaL maintenait son regard sur moi.

Ses lèvres ne s'ouvrirent pas. Ce n'était pas utile.

De sous ses paupières à demi abaissées, la clarté de ses pupilles me parlait mieux que ses mots : « Ne laisse pas ma petite-fille croire que tu es aveugle. »

Dès l'aube du lendemain, veille de Kippour, et selon la tradition, les grandes tables de fête furent recouvertes des plus belles nappes, des plats les plus riches et des chandelles les plus brillantes. Avant le jeûne du Pardon on devait manger *lichmah*, en splendeur.

Comme tu peux l'imaginer, lecteur, je n'avais aucune faim ni aucun désir d'agape. Partout où s'étalaient le faste et l'opulence, je songeais que nous les devions à Golem. À cette paix et à cette sécurité venues avec lui. Pourtant, nulle part il n'y avait de place pour l'accueillir, le fêter et le remercier.

Après les longues prières du matin et avant le milieu du jour, trop impatient pour attendre l'heure du repas, je poussai la porte de la maison d'Isaac dans l'espoir d'y trouver Éva. Isaac me vit dès que j'entrai. Il m'ouvrit ses bras.

Notre embrassade eut la chaleur enthousiaste des retrouvailles. Cela faisait des mois que nous ne nous étions vus. L'âge commençait à peser lourdement sur son visage et sur ses hanches.

Dès que nous nous écartâmes, il secoua la tête, un demi-sourire sur ses lèvres bien rondes, et murmura :

— Aïe, aïe, David! Kippour!

Nulle nécessité d'en dire davantage. Je savais où allait sa pensée. Vingt-six années s'étaient écoulées depuis ce jour où, avec Jacob, ils m'avaient confié le secret de leur promesse. Vingt-six années durant lesquelles tant et tant s'était accompli. Et d'une manière toute différente de ce qu'ils espéraient.

En guise de réponse, je chuchotai à mon tour cette mise en garde du MaHaRaL qui était devenue entre nous une sorte de code :

— *Ne juge pas de ce qui n'est pas accompli...* Et ce qui l'est, ajoutai-je, l'est finalement en beauté, ami Isaac.

Il approuva en me tapotant l'épaule.

— Tu as raison, David. L'Éternel a été prodigue avec nous. Qu'Il en soit mille fois remercié.

Il me regarda un peu en coin et demanda sans détour :

— Tu es là pour Éva?

J'opinai en rougissant.

— Ne rougis pas. J'espérais que tu viendrais la raisonner. Elle va devant tout le monde en racontant qu'il faut aimer Golem comme un homme. Qu'il lui parle et qu'elle l'entend. Qu'elle sent son cœur et qu'il est malheureux... Ce genre de sornettes qui la font passer pour une folle.

254

Isaac secoua sa grosse tête. La honte me raidit : j'entendais dans la bouche d'Isaac les mots que j'avais jetés moi-même à Éva. Un peu violemment je répliquai :

— Éva n'est pas folle. Elle ne l'a jamais été ni ne le deviendra.

Isaac eut un ricanement qui me fit mal.

— Peut-être, pourtant ça ne se voit pas. Ce qu'elle raconte n'a aucun sens. Il y a eu le dibbouq et maintenant ça. Dis-moi un peu, David, qui va aimer Golem ?

— Ne ricane pas. Dieu t'a accordé Éva pour nous donner Golem. Il est venu par elle.

Isaac écarquilla les yeux.

— Qu'est-ce que tu racontes ?

— Ce qui est. C'est ta fille qui a conduit notre Maître à user du pouvoir de sa sagesse. Qui d'autre qu'elle l'a convaincu d'user du souffle de son Verbe ?

Le regard d'Isaac durcit.

— L'aimes-tu au point de la suivre dans sa folie, David ?

L'incompréhension et la déception figeaient ses joues rondes. Je souris pour effacer ce que son ton pouvait contenir d'insulte.

— Où est-elle ? demandai-je doucement.

Isaac hésita. Je crus qu'il n'allait pas me répondre, mais il le fit en évitant mon regard.

— Elle doit être à son enclos.

— Quel enclos ?

— L'enclos de Golem. Devant le nouveau port. Les jours de shabbat et de fête, elle y passe tout son temps.

J'appris par la suite que cet « enclos », Golem se l'était construit lui-même pour se protéger des pierres que les enfants lui jetaient par jeu alors qu'il « dormait ».

C'était une clôture de rondins dressés qui formait un très large cercle. Elle était haute de deux fois la taille d'un homme et ne possédait pas de porte. Golem l'enjambait pour y entrer et en sortir. Quand il s'y tenait, elle le dissimulait entièrement aux regards.

Éva était là. Seule, assise sur un banc de madrier et drapée dans son manteau. Les yeux perdus sur le fleuve. Tout ici semblait morne. Comme c'était jour de fête, les travaux du pont étaient arrêtés et les barques, devant la ville juive, étaient rares.

Lorsque je m'assis près d'elle, Éva ne parut pas se soucier de ma présence. Je laissai passer du temps avant d'ouvrir la bouche.

— Éva...

Elle m'interrompit aussitôt d'un signe. Un mouvement impérieux qui me rappela celui du MaHaRaL.

Dans notre dos, les cris et la musique de la fête se mêlaient aux roulements réguliers de la Vltava.

Finalement, Éva parla, d'un ton léger qui me surprit.

— Sais-tu où nous sommes? Là où tu m'as poussée dans la barque, les jours de peste. Quand nous sommes partis pour Cracovie... Là, aussi, où je t'ai donné un baiser parce que je n'aimais personne plus que toi, David Gans.

Elle laissa filer un silence, et moi je crus bien que mon cœur allait éclater.

Elle poursuivit, d'un ton égal :

— Tout a beaucoup changé, depuis. Mais n'est-ce pas étrange que Golem soit venu construire ici son enclos de paix?

Elle souriait en continuant de regarder le fleuve. Je serrai les poings.

— Éva, je te demande pardon. Je ne voulais pas voir et je ne voulais pas entendre.

Elle eut un petit signe du front.

— Le jour du Pardon est demain. L'Éternel t'entendra.

256

L'ironie de son ton fit courir un frisson glacé sur ma nuque. Elle se tut encore, attendant peut-être que je proteste. Finalement, elle m'expliqua :

— Je viens ici chaque fois que Golem s'enferme dans l'enclos. Sinon, les enfants trouvent le moyen de grimper aux rondins. Ils ne peuvent pas se retenir de lui lancer des pierres pour voir s'il se réveille. Golem les trouve fichées sur lui quand il se ranime et ça le désespère.

— Je peux rester avec toi. Ou tu peux aller te reposer et je veillerai à mon tour.

Sous sa cape, je la sentis frissonner. En cet instant-là, j'aurai donné beaucoup, peut-être même toutes les heures de bonheur que j'avais passées à scruter la splendeur du ciel, pour pouvoir la prendre dans mes bras et l'apaiser.

Avec précipitation, comme si je craignais que bientôt elle ne veuille plus m'écouter, je dis encore :

— Ton grand-père ne pense pas que tu sois folle. Bien au contraire. Ni moi non plus. Nous savons que tu es juste. Fais-moi confiance : je vais le dire et le montrer. Dès que Kippour sera passé, j'irai dans les synagogues et sur les places pour réclamer que l'on accueille Golem et qu'on le respecte comme on le doit. Bientôt, c'en sera fini des humiliations qu'il endure.

Pour la première fois, elle tourna son visage vers moi.

Un visage tendre et sans rancune. Son beau visage. Pourtant, je sus dans la seconde que ce que j'avais brisé ne serait pas réparable. Elle dit doucement ·

— Il est trop tard, David.

5.

« Il est trop tard, David. »

Comme ces mots résonnent terriblement dans ma mémoire!

Et comme mon orgueil, ou la vanité de mon cœur, m'égara lorsqu'Éva les prononça. Dans ce *trop tard*, je ne sus entendre que les merveilles perdues à cause de mon aveuglement. Sa confiance, son affection.

Peut-être bien son amour, si je puis oser ces mots.

Oui, je songeai à elle, à moi, à nous. Certainement pas à Golem.

Je ne me croyais plus aveugle, mais je l'étais encore.

Durant le restant de la journée, la nuit et encore tout le lendemain, qui était le jour de Kippour, j'ai prié, jeûné et espéré le pardon du Tout-Puissant. Je l'ai fait avec une ferveur, avec un abandon que je croyais à la hauteur de mes fautes.

Un pardon qui ne vint pas. Ni pour moi, ni pour nous, les habitants orgueilleux de la ville juive de Prague.

L'aube se levait à peine sur ce onzième jour du mois de Tichri quand des hurlements d'épouvante vrillèrent le silence. En un instant je fus debout. Je m'habillai à la hâte. Les cris redoublèrent. Pleins de terreur et de douleurs, relancés par un vacarme sourd, des grondements qui ébranlaient les murs de la maison.

Je descendis quatre à quatre les escaliers. Mon logeur Joseph et les voisins étaient déjà dans la rue. Nous nous regardâmes, hébétés. Serrant les lèvres et plissant les paupières, comme si cela pouvait nous protéger de cette horreur contenue dans les cris qui ne cessaient pas et paraissaient emplir les rues.

Quelqu'un arriva, hurlant :

— Au port ! C'est au nouveau port, c'est Golem !

Mon cœur s'arrêta. Il me fallut quelques secondes pour courir derrière les autres.

Oh, l'épouvante que l'on découvrit !

La clôture de l'enclos de Golem était démontée pour moitié. Ses rondins, jetés jusque dans les maisons voisines, avaient éventré les façades, écroulant les murs, laissant voir des pièces d'où pendaient des lits et des cuisines.

Dessous, dans les décombres, ce n'étaient que gémissements et appels à l'aide de ceux qui avaient été ensevelis. Dans les jardins, c'était pis encore.

On s'affairait autour des rondins arrachés par Golem. Par place, ils s'empilaient dans un désordre monstrueux d'où surgissaient, ici et là, des membres et des visages d'enfants. Des garçons d'à peine dix ans. Une douzaine que Golem, dans sa colère, avait écrasés avant qu'ils puissent se mettre hors d'atteinte.

Impuissants à soulever les masses de bois qui enfonçaient les corps brisés de leurs fils dans la boue, les mères et les pères hurlaient autant que si on les dépeçait.

Pourtant le désastre n'était pas encore achevé.

Au milieu du fleuve, Golem, avec des gestes déments, déterrait les piliers du pont en construction. Il les rejetait dans l'eau avec une force terrible. Tournoyant comme des brindilles, ils allaient fracasser les barges et les barques, massacrant les mariniers et les ouvriers qui ne plongeaient pas à temps. Ceux qui ne savaient pas nager étaient engloutis par les flots. Nul n'osait leur porter secours de peur d'être pris dans la démence de Golem.

Quelqu'un hurla :

— Le MaHaRaL! Allez chercher le MaHaRaL, pour l'amour de Dieu!

Je courus en tous sens pour retrouver Éva. Il n'y avait que du sang, des corps hachés, de la mort et de la douleur. Je ne la vis nulle part. Moi aussi je me mis à pleurer. Je la devinai morte sous les amas de ce massacre.

Le MaHaRaL accourut au milieu des lamentations et des vociférations. D'un regard, il jugea de l'étendue du désastre. Il eut un geste abrupt pour réclamer le silence.

Ensuite, cela se passa très simplement. Les derniers gémissements s'éteignirent. Le MaHaRaL tendit lentement les mains, paumes offertes au ciel. Ses lèvres bougeaient sans qu'un son en sortît. Depuis un instant déjà, Golem se tenait dressé, immobile, dans le fleuve.

Peut-être fut-ce une illusion, mais il sembla que tout devenait plus pâle, plus blanc autour de nous. Indifférentes, des alouettes tournoyaient au-dessus de la rive. L'une d'elles, dans un vol bref et décidé, vint se poser dans la paume droite du MaHaRaL.

Au même moment, Golem se déplaça. En un geste vif, il retira du courant les hommes qui s'y débattaient encore. Il les déposa sur la berge. Puis il s'avança vers nous.

Un murmure de panique courut dans la foule, qui recula avec précipitation. Mais Golem s'immobilisa tout devant le MaHaRaL. Il s'agenouilla, inclina sa face sans bouche. Doucement, ses mains se posèrent au sol, paumes levées.

On sursauta quand les ailes de l'alouette battirent et que l'oiseau, quittant la main du MaHaRaL, s'éleva pour se poser dans la paume immense de Golem.

Chacun guetta les petits sautillements de l'alouette, qui finit par replier ses ailes et se blottir entre les doigts de glaise comme si elle était dans son nid.

Le MaHaRaL ramena ses longues mains dans les manches de son caftan et se tourna vers nous.

Presque aussitôt, une voix lança :

— À mort ! À mort, Golem !

Le MaHaRaL ne cilla pas. Une autre voix s'unit à la première. Puis une autre. Les hurlements se déchaînèrent.

— À mort, Golem ! À mort, l'assassin de nos fils !

Du regard, je surveillais Golem. Il demeurait parfaitement immobile. L'alouette, dans sa main, avait niché son bec sous ses plumes.

La voix du MaHaRaL n'eut pas besoin de s'élever pour réclamer le silence. Il demanda :

— Est-ce là votre décision ?

Les « oui » jaillirent sans hésiter.

Le bourgmestre Maisel s'était faufilé jusqu'au premier rang devant le MaHaRaL. Il ouvrit la bouche, peut-être pour protester, quand la foule se fendit pour faire place à un homme portant le corps de son enfant mort. En vérité, ce n'était plus qu'une masse sanglante et difforme qu'il était parvenu à extirper des rondins mortels.

L'homme déposa le cadavre aux pieds du MaHaRaL.

— C'est mon fils, dit-il. Il y en a encore dix autres sous les décombres. Il ne faisait que lui jeter des pierres et rire. La chose qui a fait ça ne peut pas continuer à aller et venir, Haut Rabbi. Tu dois la détruire.

Le regard du MaHaRaL glissa sur les visages.

— Vous avez voulu Golem pour vous défendre des massacreurs, et Golem est né. Il vous a apporté la paix et la sûreté des jours. Vous avez alors voulu faire de Golem votre esclave et en tirer profit. Vous avez voulu manipuler votre puissance comme si elle n'était qu'un jouet et non

262

une grâce du Tout-Puissant. Quand donc apprendrez-vous que le pouvoir accordé à l'homme ne se réduit pas en esclavage? Vos enfants se sont moqués de Golem parce que vous avez oublié que, nous aussi, nous étions esclaves et humiliés sous la poigne de Pharaon.

Il se tut, laissant le silence s'appesantir, avant d'ajouter sèchement :

— Souvenez-vous : la main de Golem s'est abattue sur nous, mais ce sont nos cœurs qui lui ont fait serrer le poing.

Puis, sans donner à quiconque le temps de protester, il fit face à Golem. Aussitôt, l'énorme masse de glaise inclina la tête vers lui. Notre Maître tendit la main. D'un geste simple, il retira la première des lettres incrustées dans le front de Golem.

Quand il s'écarta, chacun put lire le mot qui restait dans la boue : MET. Ce qui signifie « Mort » en hébreu.

Cela dura le temps d'un souffle. On perçut le frou-frou des ailes de l'alouette qui s'envolait, puis un chuintement.

La boue de Golem se répandit sur la berge. Il ne restait plus rien de visible de sa forme.

Un tas de boue semblable à celui que l'on avait entassé devant le MaHaRaL des mois plus tôt. Rien d'autre.

Une glaise humide, du limon malodorant tiré du fleuve.

Le visage clos, à peine visible derrière sa barbe blanche, le MaHaRaL traversa la foule sans un mot ou un signe de plus. Mais, en s'écartant pour le laisser passer, on perçut, comme une brûlure glissant sur nos poitrines, l'immensité de sa colère.

Les pleurs de femmes revinrent. Harassé par l'émotion, chacun se détourna de la boue de Golem. On s'occupa de panser les plaies des blessés et de préparer les morts.

Le chambellan de Rodolphe apparut dans l'après-midi.

Depuis le château, l'Empereur avait suivi le drame dans la lunette offerte par Tycho.

Le bourgmestre Maisel baissa la tête quand il dut confirmer que Golem n'existait plus.

— Alors, plus de pont non plus? fit le chambellan en haussant le sourcil.

Le bourgmestre eut un sourire aigre :

— Qui sait ce qui sera accompli demain?

Quand la voiture du chambellan franchit bruyamment la porte Paryzkâ, entourée de sa garde au galop, et que l'on referma la porte derrière elle, ce fut pour tous comme si les mots du MaHaRaL sonnaient une seconde fois. Golem n'était plus. Et la paix qui allait avec lui non plus.

Il ne faudrait plus longtemps pour que les vieilles peurs resurgissent et que l'on entende les cris de joie des massacreurs.

Moi, jusqu'au crépuscule j'errai dans les décombres.

Je retournai les pierres, repoussai les rondins, dégageai la terre. Mais je n'y trouvai pas Éva. Isaac me rejoignit et l'on fouilla côte à côte.

Il avait parcouru toute sa maison, interrogé les servantes et les voisins. Il était même allé dans le klaus et les synagogues. Personne n'avait vu Éva. Quand Golem s'était déchaîné, on ne l'avait pas aperçue non plus. Depuis, on avait appris que, parce qu'elle n'était pas, comme d'habitude, à veiller dans l'enclos, les enfants avaient pu lancer des pierres à Golem alors qu'il se réanimait.

Isaac considéra nos mains sales, nos ongles écorchés, nos habits déchirés, et secoua la tête.

— On ne la trouvera pas là-dessous.

Je lus sur son visage le même soulagement inquiet que j'éprouvais. Éva était certainement vivante. Mais où? La reverrions-nous seulement?

264

Alors que nous nous apprêtions à quitter la berge, où déjà le gris du crépuscule mêlait tout, Isaac m'attrapa brutalement le bras.

— David !

Devant nous une femme en deuil remplissait un seau de la boue de Golem. Je la reconnus avant même qu'elle ne se redresse.

D'autres aussi l'avaient vue et la contemplaient avec stupeur.

Éva s'éloigna avec son seau de boue. On la suivit sans oser un mot ni un appel. Elle s'enfonça dans les ruelles de la ville sans prêter attention à ceux qui se retournaient sur elle. Sans vaciller sous le poids de son seau de boue, elle parvint enfin à la vieille synagogue, là même où Isaac et Jacob avaient scellé leur malheureuse promesse.

Déterminée, elle grimpa jusqu'aux combles, où l'on faisait sécher des herbes d'encens au plus chaud de l'été, et déversa la boue sur le plancher.

Elle ressortit et retourna jusqu'à la montagne de boue de Golem. Sans un regard, le pas nerveux et rapide. Quand elle remplit à nouveau son seau, nous comprîmes : elle allait charrier toute la boue de Golem dans la synagogue pour la veiller comme on veille un mort, ainsi que, dans toute la ville, on allait veiller ceux que Golem avait tués.

Nous savions que rien ne l'en empêcherait, ni la quantité de boue, ni la colère, ni le ressentiment des habitants de la ville juive.

À son troisième voyage, je n'y tins plus. Je courus chercher un seau et, à mon tour, je me mis à transporter la boue de Golem. Isaac, après avoir hésité, nous rejoignit. Et un autre, puis un autre.

À la nuit tombante, on alluma des torches. Jusqu'au matin, on vit cela : le peuple de Prague charriant la boue de Golem pour lui offrir les chants et le respect du deuil.

265

Des femmes qui, quelques heures auparavant, avaient hurlé contre lui apportèrent de grandes nappes blanches afin de recouvrir la boue comme d'un linceul. Les chandeliers l'entourèrent. On dispersa des parfums en chantant le Psaume des morts adressé à « Celui qui demeure à l'ombre du Très-Haut... »

Éva la première déchira son vêtement en récitant le kaddish. Bientôt on l'imita. Pour la première fois, Golem devint vivant dans nos cœurs.

6.

Voilà lecteur. Mon histoire est presque terminée.

Il ne me reste qu'un prodige de Golem à te raconter encore et, pour dire le vrai, c'est pour moi le plus terrible.

Au lendemain de la mort de Golem, on fut surpris de découvrir que sa boue, dans le grenier, demeurait souple et humide autant que lorsque nous l'avions transportée depuis la rive de la Vltava. Autant que lorsque l'alouette s'était envolée et que sa forme s'était dissoute.

De semaine en semaine, elle demeura pareillement humide et souple. Comme vivante.

Cela ne changea pas au cours des mois suivants. Ni avec le printemps et la chaleur, ni avec l'été et le vent brûlant qui soufflait souvent sur Prague.

On vit Éva venir presque chaque jour dans le grenier de la synagogue et y demeurer en prière, la main posée sur cette boue molle. Elle ne fut pas la seule : chacun se fit un devoir, chaque veille du shabbat, de monter poser la paume sur le prodige de cette boue.

À l'automne suivant, deux petits mois avant Kippour, Éva annonça à Isaac et au MaHaRaL qu'elle avait décidé de se mettre en route pour Safed afin de rejoindre Isaïe. En leur demandant leur bénédiction pour le long voyage, elle dit :

— Je demeure sa promise, s'il veut de moi. Au moins, il doit savoir pourquoi je me suis détournée de lui.

Elle prit la route avec le premier convoi de commerce qui partait pour le sud.

Deux semaines plus tard, lorsqu'on monta à l'échelle du grenier où reposait la boue de Golem, lorsqu'on posa la main sur la boue de Golem, c'est une terre dure et sèche comme du granit que nos doigts rencontrèrent. Un pic n'aurait pu la briser. Son humidité et sa souplesse si douce s'étaient envolées en une seule nuit.

Je me souviens d'avoir hurlé. J'avais déjà compris ce que des courriers nous confirmèrent un mois plus tard.

La veille de ce jour où la boue de Golem s'était muée en pierre, le convoi avec lequel voyageait Éva était entré dans Salonique. Durant la nuit, une attaque des Turcs avait ravagé la ville. Ils avaient tranché toutes les gorges qu'ils trouvaient sous leurs sabres.

On m'assura qu'Éva n'avait pas eu le temps de se réveiller et que cette mort, si on la comparait à d'autres, était une forme de miséricorde.

Aujourd'hui encore, lecteur, si tu vas dans cette vieille synagogue de Prague, demande à visiter ces combles. On te montrera cette masse où tout se brise et qui fut le Golem.

Épilogue

Mon vieil ami, le rabbin Adin Steinsaltz, l'un des plus subtiles commentateurs du Talmud, me dit :

— En vérité, ce n'est pas tout à fait sur ces mots que David Gans achève son histoire de Golem. Tenez, regardez ce feuillet. Nous l'avons trouvé dans l'un des exemplaires d'origine du seul livre publié par David de son vivant, le *Zemah David*.

Nous étions à Jérusalem. J'étais venu rendre à Steinsaltz le gros cahier sur lequel une main anonyme avait recopié l'histoire contée par David Gans et que l'on vient de lire.

Steinsaltz me tendit deux feuilles de papier rugueux aux franges élimées. Un de ces beaux papiers faits avec du tissu comme on le fabriquait au XVIIe siècle. Il avait été plié et replié, le temps y avait laissé des marques bien visibles, mais rien n'avait effacé ces lignes formées d'une écriture petite et serrée. De larges espaces séparaient les paragraphes, comme s'ils avaient été transcrits en des moments différents.

« La boue de Golem devenue granit demeure dans le temps et moi aussi. Moi qui ne suis pas granit mais rien d'autre qu'un souffle qui va et vient. Je passe ici, je passe là. On m'entend ou on ne m'entend pas. Je raconte. Je suis la mémoire qui raconte... »

« *J'ai vu notre Maître mourir. Depuis que Golem était devenu boue de pierre, son regard ne se posait plus sur nous. Depuis qu'Éva ne réchauffait plus ses jours, il devenait glacé comme les étoiles qui n'ont plus de feu. Il ne lui restait que les mots. Écrire, écrire. L'immensité de ce qu'il a écrit, on le trouve dans* Beer Hagola, Le Puits de l'Exil, *dans* Or Hadash, La Nouvelle Lumière, *dans* Netivot Olam, Les Sentiers éternels. *Il écrivait, écrivait, enfermé dans sa pièce. Notre Maître, le MaHaRaL, devenu tout entier un homme de mots, comme sa créature, le Golem, était de boue vivante.* »

« *Il n'avait plus qu'un souffle. Il me voulut près de son lit. Il tend la main pour que j'approche la mienne. Ses doigts si longs frôlent ma paume. Le même geste que celui qu'il avait eu avec Golem. Il dit* : " Surveille les mots qui passent ta bouche, David. Prends garde à leur pouvoir. La parole détournée est un agneau qui échappe au regard du berger, une folie qui conduit le troupeau entier à la mer. " »

« *Paroles de mon Maître le MaHaRaL sur le lit de son dernier souffle :* " Golem ! Golem ! Le mal-accueilli... Souviens-toi des mots de l'Exode, David Gans : *Vous accueillerez l'étranger, vous l'aimerez comme s'il était l'un des vôtres, car vous étiez étrangers dans le pays d'Égypte.* " »

« *Paroles de mon Maître, le MaHaRaL :* "Tendez vos paumes et choisissez votre destin, mais ne comptez pas que le Saint Nom vous épargne le devoir de l'accomplir. " »

« *Voilà ce qui m'est arrivé. Tout dans mon cœur et mon désir me portait vers Éva, fille d'Isaac Cohen. Mais je ne suis pas allé au-devant d'elle quand il le fallait. Je ne l'ai pas soutenue quand elle était plus seule qu'un égaré dans le désert du Neguev.*

« *Je me suis aveuglé. Je n'ai pas compris qu'Éva n'accompagnerait pas le destin d'un homme selon la tradition. Elle était*

270

libre et elle cherchait l'homme qui agrandirait sa liberté. Moi, j'ai fait le choix de la jalousie, le choix des étoiles, le choix des mots. Je n'ai jamais fait le choix d'aimer Éva, fille d'Isaac Cohen, comme un homme doit aimer une femme quand elle vole vers son destin.

« Car Éva Cohen, petite-fille du MaHaRaL, a accompli son destin en entier, comme le veut le Saint-Nom. Pas moi. »

« Que suis-je aujourd'hui, moi, David Gans, celui dont la pierre tombale est toujours dans le beau cimetière de Prague, avec une oie gravée au-dessus de l'étoile du bouclier de David, à quelques pas de la pierre de mon Maître ? Je suis ce que le Saint-béni-soit-Il a voulu de moi. Je suis l'errant qui raconte le souvenir à ceux qui veulent bien se réveiller du présent.

« La mémoire ne manque pas. Tant qu'il y aura des oreilles pour écouter la mémoire, des bouches pour la conter, des mains pour l'écrire et la passer en d'autres mains, le Mal n'étouffera pas le monde de ses vociférations. »

« Le Zohar, Le Livre de la Splendeur, *dit :* Quand un homme se couche pour dormir, son âme le quitte et s'élève vers l'En-haut. Dieu se révèle à elle selon le destin qu'elle s'est choisi et lui accorde Sa grâce selon sa sagesse. Au premier barreau, le songe. Au deuxième, la vision. Au troisième, la prophétie.

« À moi qui ne dors pas, le Saint-béni-soit-Il n'a fait que donner les mots, les mots qui racontent. »

Je relevai les yeux de ces feuillets pour croiser le regard attentif du rabbin Steinsaltz.

— Je ne comprends pas, m'écriai-je nerveusement. Ce papier, cette écriture... On dirait que Gans a rédigé ces lignes de son vivant, à Prague. En 1600 quelque chose...

— Certainement. C'est son écriture d'alors. Oui, il n'y a pas de doute. Le papier aussi est aisé à dater.

— Mais c'est impossible! Il parle... Il parle comme s'il était déjà errant dans les limbes. Comme il le fait dans son récit de Golem.

— Ah! mon ami...!

Steinsaltz s'interrompit pour m'accorder un sourire moqueur.

— Mon ami, croyez-vous à ce point connaître les mystères du temps que vous puissiez être certain de ceci ou de cela?

Je grommelai quelque chose qui voulait être une réponse humble. Pourtant, je restai avec mon trouble et mes questions. Steinsaltz hocha la tête et me tapota gentiment l'épaule.

— Ne vous souciez pas trop de ces bizarreries. Écoutez plutôt ce que dit ce cher David. Il cherche des passeurs de mémoire pour accomplir son destin en entier. N'est-ce pas le vôtre aussi? N'êtes-vous pas un conteur de mémoire?

Quelques semaines plus tard, je me rendis à Moscou pour une tournée de conférences. Dans un avion d'Aeroflot je sympathisai avec mon voisin. Un homme âgé, trapu, cheveux et moustaches blancs, le visage marqué par le temps et les expériences. Assez dur pour que l'on puisse imaginer qu'elles n'aient pas toutes été agréables.

Après quelques mots, il se présenta : Alexandre Volochine, colonel.

Quand je me présentai à mon tour, il approuva, la mine rusée.

— Je pensais bien que c'était vous. Je vais vous surprendre : tout colonel que je suis, je lis vos livres.

— Vous vous intéressez aux Écritures?

— Pourquoi non? Même Staline en raffolait. Cela devait lui rappeler le petit séminaire... Vous saviez qu'avant de devenir un voleur de grand chemin, Staline était passé chez les curés?

On devisa ainsi jusqu'à l'atterrissage. Je ne fus pas surpris quand Volochine m'annonça qu'il viendrait m'écouter à l'une de mes conférences. Il me convia fermement à dîner avec lui et quelques-uns de ses vieux camarades. Ils m'invitaient dans un bon restaurant et je leur raconterais des histoires...

Ainsi sont la gentillesse et la grande cordialité russes. Il était difficile de refuser. De plus, j'étais assez curieux de rencontrer ces hommes, probablement tous bons gardiens de la mémoire marxiste et anciens combattants des campagnes soviétiques, prêts à écouter mes contes.

Trois jours plus tard, j'entrai dans un restaurant proche du Kremlin. J'eus un choc en découvrant Volochine et ses compagnons sanglés dans leurs uniformes, la poitrine couverte de médailles, comme au bon vieux temps

Lorsque je tendis la main pour saluer, on me ficha un verre de vodka entre les doigts et nous trinquâmes d'un sonore *Na zdarovie!*.

On était au milieu du repas lorsque, sans trop y réfléchir et pour meubler une conversation qui lanternait un peu, je parlai de Golem.

Quand je me tus, un homme sec, à grosses lunettes de myope et qui s'était présenté comme étant général, se mit à rire.

— Cela vous semble trop farfelu pour que vous croyiez à la naissance de Golem par le seul souffle du Verbe? Qu'il soit celui de Dieu ou du MaHaRaL? lui demandai-je.

— Oh non! Certainement pas. Je crois à votre Golem d'autant plus que j'en ai vu naître un moi aussi.

— Pardon?

— Que croyez-vous qu'ait été le prolétariat dans la pensée de Marx et de Lénine? Rien d'autre qu'un nouveau

Golem. Né du Verbe, comme vous dites, et tout aussi bien que celui de votre MaHaRaL!

— C'est juste, approuva bruyamment Volochine. Et tu peux dire que ce Golem-là a échappé aux mains de son créateur, comme celui de Prague!

J'étais assez stupéfait pour me taire. Mais cette fois la conversation était lancée. Un autre colonel, petit, le teint mat, une superbe denture en or sous une moustache très noire, lâcha tout en remplissant nos verres :

— Le fait est que Marx, Lénine, le MaHaRaL étaient tous juifs.

— Et alors?

— Seuls les Juifs croient qu'on peut créer un homme nouveau avec des mots.

Volochine lorgna vers moi, avec une grimace qui hésitait entre l'excuse et la complicité.

— Sacha est juif, lui aussi, il sait de quoi il parle.

— Juif ou pas, fit celui qui s'appelait Sacha, j'ai vu la statue de votre MaHaRaL à Prague.

Il me sourit. La lueur des bougies disposées sur la nappe rouge caressa ses dents en or.

— Quand ça? demanda le général.

— Quand veux-tu que ce soit? La seule fois où je suis allé à Prague, pardi!

Sacha me servit une louche d'œufs de saumon. Quand il voulait me parler, il me servait à boire ou à manger.

— Ça ne va pas vous plaire. C'était en 1968...

— Pendant le printemps de Prague?

— Comme vous dites.

— Dans un de ces chars soviétiques qui envahirent Prague?

— Dedans et devant, gloussa Volochine en pointant son doigt sur la moustache de Sacha. Vous avez devant vous le commandant de la division blindée qui est arrivée au pied de la statue de Wenceslas.

274

Volochine n'avait pas l'air mécontent de mettre son camarade juif dans l'embarras.

Sacha fit briller ses dents en or et haussa les épaules.

— Un soir, j'en ai eu assez d'entendre les insultes dont les Pragois nous abreuvaient du matin au soir. J'ai enlevé mon uniforme et je suis allé faire un tour dans le ghetto. Je voulais voir le vieux cimetière juif. J'en avais entendu parler par mon grand-père.

Il se tut, me reversa de la vodka. But le sien cul sec. *Na zdarovie!*

Les autres maintenant se taisaient.

— Une statue bizarre, reprit Sacha. Pas belle. Très impressionnante. Comme un totem. Et, quand on passe devant... Je sais pas. On sent quelque chose.

Il voulut me resservir, mais mon verre était encore plein.

— Vous savez qu'Hitler a voulu la détruire? Mais Eva Braun craignait une malédiction. Elle s'intéressait à la Kabbale comme les goyim s'y intéressent : pour le pouvoir.

— Je connais l'histoire de l'opération Golem, dis-je.

— De quoi parlez-vous? demanda Volochine.

Sacha répondit avant moi.

— On dit que, après Stalingrad, Hitler voulait absolument une arme définitive. Il espérait une bombe atomique, mais von Braun lanternait. Heydrich a suggéré l'« Opération Golem » : c'est-à-dire créer des Golems, tout comme le MaHaRaL. Des êtres doués d'une puissance indestructible avec lesquels ils pourraient anéantir les autres armées. À cette époque, les nazis avaient déjà transformé le ghetto de Prague en « musée d'une race dégénérée », comme ils l'appelaient. Tous les objets religieux ou culturels juifs qu'ils volaient en Europe y étaient envoyés. Heydrich créa une cellule spéciale chargée de trouver le secret du MaHaRaL dans le fouillis qui s'entassait là. Les nazis sont même allés jusqu'à retirer de Buchenwald le dernier rabbin de la vieille synagogue pour le torturer à mort en espérant qu'il connaisse la « formule magique » de la naissance de Golem. Bien d'autres sont morts à cause de cette histoire de formule magique. Pourtant, cette histoire de Golem les impressionnait tant qu'ils n'osèrent finalement rien détruire à Prague. Ni le cimetière, ni la statue du MaHaRaL, ni les synagogues. Pas même un graffiti. Et nous, après eux, nous avons également évité ces saloperies...

Sacha se tut en regardant son verre avec une grimace. Les autres ne parlaient plus, pas très à l'aise. Quand Sacha releva la tête, ses yeux durs de colonel qui en avait beaucoup trop vu étaient humides. Je ne fus pas certain que c'était seulement l'effet de la vodka.

— Les nazis n'étaient pas seulement des êtres malfaisants. C'étaient des crétins, bien incapables de comprendre la moindre ligne du Zohar. Pas vrai ?

J'approuvai. Le vieux colonel me lança un drôle de sourire, ses dents en or à peine visibles.

— Mais, vous, pourquoi n'écrivez-vous pas cette histoire de Golem ? Que les gens d'aujourd'hui en aient un peu une idée ?

Quelques heures plus tard, en rejoignant mon hôtel sous la neige, mes veines bien trop imbibées de vodka, je ne pus m'empêcher de ressasser la phrase de David Gans, ou du MaHaRaL, je ne savais plus : Tendez vos paumes et choisissez votre destin, mais ne comptez pas que le Saint Nom vous épargne le devoir de l'accomplir.

Glossaire simplifié [1]

Amoraïm : araméen. Désigne les docteurs de la Loi dont l'œuvre se situe entre la compilation de la **Mishna** (env. 200 de notre ère) et la rédaction définitive des **Talmud** de Jérusalem et de Babylone (Ve siècle).

Bimah : hébreu, « tribune ». Estrade surélevée comportant une table et un pupitre où l'on a coutume de procéder à la lecture de la Loi et à d'autres rites effectués dans le cadre de la synagogue.

Chaharit : hébreu, de « chahar », « aube ». Office du matin, le plus long des trois offices quotidiens, pendant lequel le port du châle de prière (*tallit*) et des phylactères (*tefillin*) est obligatoire, à quelques exceptions près.

Chema Israël : hébreu, « Écoute, Israël ». Premiers mots du verset où s'exprime et s'affirme la profession de foi fondamentale du judaïsme : « Écoute, Israël, le Seigneur est notre Dieu, le Seigneur est Un » (Dt 6, 4).

Dibbouq : hébreu. Désigne l'« attachement » d'un esprit malin, ou d'une mauvaise personne défunte, au corps d'un vivant. Le dibbouq représente la cohabitation d'un être humain avec une entité étrangère qui s'exprime par sa bouche et suscite détresse et trouble spirituel.

Genizah : hébreu, « dépôt ». Lieu où sont entreposés les manuscrits et livres saints endommagés, sorte de cimetière de livres. Selon la loi juive, ces écrits, même illisibles, ne peuvent être détruits. Leurs restes doivent être traités avec respect.

Ghetto : italien, quartier vénitien de la « fonderie pour les bombardes de la Sérénissime » qui servit pour la première fois de résidence aux

---

1. Élaboré à partir du *Dictionnaire encyclopédique du judaïsme,* collection « Bouquins », éditions Cerf/Robert Laffont.

Juifs, selon un décret promulgué en 1516 : « Les Juifs habiteront tous regroupés dans l'ensemble des maisons situé au Ghetto, près de San Girolamo ; et, afin qu'il ne circulent pas toute la nuit, nous décrétons que du côté du vieux Ghetto où se trouve un petit pont, et pareillement de l'autre côté du pont, seront mises en place deux portes, lesquelles seront ouvertes à l'aube et fermées à minuit par quatre gardiens engagés à cet effet et appointés par les Juifs eux-mêmes au prix que notre collège estimera convenable. »

Guemara, Gemara : araméen, « achèvement ». Désigne l'une des parties du **Talmud**, à savoir les commentaires faits par les **Amoraïm** de la **Mishna**. Il y a une Guemara pour le Talmud de Jérusalem et une autre pour le Talmud de Babylone.

Hanoukka : hébreu, « Fête de l'Édification ». Fête des Lumières qui commémore la victoire des Asmonéens sur les Séleucides, la purification du Temple de Jérusalem et le retour de la liberté religieuse. Il est coutume d'allumer, dans un chandelier spécial (*hanoukiah*), une bougie le premier soir, deux bougies le second soir, et ainsi de suite jusqu'au huitième soir.

Havdalah : hébreu, « séparation ». Prière récitée à la clôture du shabbat marquant le passage à un jour de semaine ordinaire.

Houppa : hébreu. Dais nuptial symbolisant le foyer fondé par les jeunes mariés.

Kabbale : hébreu, « réception » ou « tradition ». Désigne un courant mystique né en Espagne et en France méridionale au XIIIᵉ siècle, avec le **Zohar** dû à Moïse de Léon et pieusement attribué à rabbi Shimon bar Yokhaï. La Kabbale, qui joua un grand rôle non seulement dans la vie des communautés juives mais aussi dans les cercles humanistes, connut un extraordinaire développement au XVIᵉ siècle avec le MaHaRaL de Prague et Isaac Luria à Safed.

Kippour, Yom Kippour : hébreu, « Jour du Grand Pardon ». Il a lieu dix jours après la nouvelle année juive (**Roch Hachanah**). C'est le jour le plus saint et le plus solennel du calendrier religieux juif. Un jeûne strict est observé pendant vingt-quatre heures, du coucher du soleil le premier jour à la tombée de la nuit le lendemain soir. Les rabbins insistent sur le fait que Yom Kippour permet à l'homme d'expier ses péchés contre Dieu, mais non ceux commis contre son prochain. À moins d'avoir demandé pardon à celui qu'on a offensé.

Mazel Tov! : hébreu, littéralement « Belle constellation ! ». Interjection employée pour « Félicitations! », « Bonne chance! ».

Mélavveh malka, Melavé malkah : « accompagnement de la reine (Shabbat) ». Réunion et repas organisés dans de nombreuses communautés le samedi soir après la récitation de la **havdalah.**

280

Glossaire simplifié

Midrach, Midrash : du verbe hébreu *darash* signifiant « interroger, examiner en profondeur ». Commentaire rabbinique de la Bible ayant pour but d'expliciter divers points juridiques ou de prodiguer un enseignement moral en recourant à divers genres littéraires : récits, paraboles et légendes.

Mishna, Michnah : hébreu, « répétition », puis « étude ». Il désigne de manière générale la loi orale rédigée par Yehuda Hanassi vers 200 de notre ère. La Mishna est le point de départ du **Talmud**, une succession de paragraphes suivis d'une discussion introduite par la **Guemara**. La Mishna ne contient que le résultat final des discussions et polémiques rabbiniques.

Roch Hachanah : hébreu, littéralement « Tête de l'année ». Nouvel An du calendrier juif débutant le 1er Tichri, mois automnal de trente jours.

Sanhédrin : du grec « synedrion », « (siéger à un) Conseil ». Hautes cours de justice qui exercèrent pendant la dernière période du Second Temple et les siècles suivants. Les controverses qui agitaient les tribunaux sur des points de Halakah (loi juive) étaient soumises au Sanhédrin, qui tranchait le débat. Le Sanhédrin établissait également le calendrier mensuel et annuel, fonction importante pour maintenir l'uniformité religieuse entre Israël et la diaspora. La procédure juridique du Sanhédrin est décrite de manière vivante dans le traité de Sanhédrin de la **Mishna.** Les onze chapitres de ce texte sont consacrés aux lois qui régissent la création et le fonctionnement des tribunaux. Y sont étudiés les procès d'argent, les procès criminels, la fiabilité des témoins, les crimes capitaux, l'exécution et même les droits du roi et du grand prêtre en ce qui touchait leur fonction de juge.

Shtibl : yiddish, « petite chambre ». Désigne une synagogue qui fait à la fois office de maison de prières, de lieu d'études et de centre communautaire. Le shtibl, de dimensions toujours modestes, se distinguait par l'austérité du decorum et la sobriété du mobilier.

Siracide : livre de la Bible écrit vers 200 avant notre ère appelé également l'*Ecclésiastique* et qui tient son nom de son auteur Jésus ben Sira (ou Jésus de Sirac).

Talmud : hébreu, « étude ». Compilation de la Loi orale juive rédigée à Jérusalem et à Babylone entre le IIe et le Ve siècle de notre ère. Il y a deux Talmud, le Talmud de Jérusalem et celui de Babylone, ce dernier étant le seul à faire autorité pour l'ensemble des Juifs. Le Talmud comporte deux parties, la **Mishna** et la **Guemara,** et se subdivise en Halakha (jurisprudence) et Haggadah (homilétique). Il est rédigé en hébreu et en araméen.

Torah : hébreu, « l'enseignement ». Désigne les cinq premiers livres de la Bible hébraïque, d'où son appellation grecque « Pentateuque ».

C'est le plus saint des textes sacrés du judaïsme et son document fondateur. Il fut, selon la tradition, dicté à Moïse par Dieu sur le mont Sinaï.

Traité des Pères : *Pirké Avot* en hébreu, « Maxime des Pères ». Chapitre de la **Mishna,** œuvre d'éthique et de sagesse qui regroupe les maximes et réflexions des sages sur les fondements du judaïsme.

Yeshiva, yechiva : littéralement « assemblée » « assise ». Plur. yeshivot. Désignait les différents centres d'études talmudiques dirigés par un rabbin et en général réservés aux hommes. Au cours des siècles, la yeshiva devint le pilier central de la vie juive.

Zohar : hébreu, « Livre de la Splendeur ». Exégèse ésotérique de la **Torah** originellement attribuée à rabbi Shimon bar Yokhaï (IIe) mais rédigée par Moïse de Léon entre 1270 et 1280. Il constitue le texte fondateur de la **Kabbale.**

Merci.

Merci à Sophie Jaulmes de m'avoir si gentiment et si patiemment accompagné tout le long de l'écriture de cette histoire en me procurant au fur et à mesure la documentation nécessaire.

Merci à Nathalie Théry d'avoir préparé avec sa minutie habituelle le manuscrit pour la composition.

Merci à Clara Halter de n'avoir à aucun moment relâché son regard critique de ce récit qui l'a apparemment passionnée.

Merci enfin à feu André Neher de m'avoir, grâce à ses œuvres, fait connaître David Gans, héros de ce livre, et au rabbin Adin Steinsaltz de sa si longue et si amicale complicité.

Table

Ouvrages de Marek Halter (suite)

MARIE
(Robert Laffont, 2006)
JE ME SUIS RÉVEILLÉ EN COLÈRE
(Robert Laffont, 2007)
LA REINE DE SABA
(Robert Laffont, 2008)
Prix Femmes de paix 2009

Cet ouvrage a été composé et imprimé
en mai 2010 par

FIRMIN-DIDOT

27650 Mesnil-sur-l'Estrée
N° d'impression : 100167
Dépôt légal : mars 2010

Imprimé en France